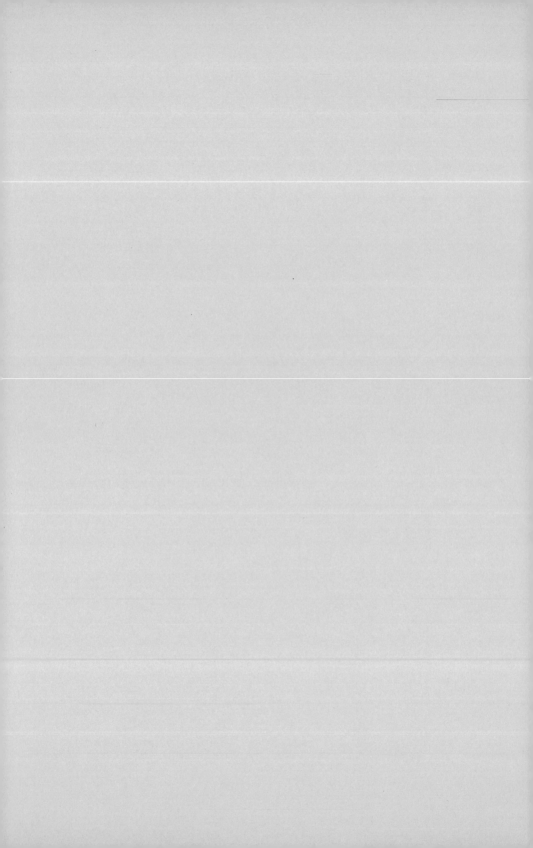

비엔	소정선생님	엄마는 열공중	옹결
비타밍z	소코반	에나쌤	옹안돼
비행접시	손들고시키면말해	에메랄드시티	이루어지리라
빈스러운	수강이	엘리	이름쓰라고몇번말했니
빛나는황금공	수비니겨	여영	이상해씨씨
빨간망또민뿡	수세미	연두빛	이슬로샘
빨강대머리	수호천사쌤	연필깎이	이재희
빨강머리앤	순딩이라라	열매맺는씨앗	이지영
빵누나	쉰스맘	열정은만렙이고싶다	이해하는 해
사계	스마일윤쌤	엽쌤스쿨	익시
사과꽃	스카이워커	영	일단고고쌩
사과나무한그루	시간은와다다다	영돌쌤	자갈
사랑과평화♡	시리우스~★	영어이선생	자유인제
사랑나눔쌤	신나는삶1	예별쌤	작은꽃밭
사려니숲길	신선바위	오공이	작은불꽃
사이다쌤	싱글싱글	오늘체육은체육	작은소년
산들미소 요다쌤	싹트네	오쓸박사	잠시여유
산이 좋아	쌀과자	오수지	잠잠이
삼님	써니1030	옥이다옥	장군마늘
삼수니	쓰달쓰달 풀꽃쌤	온맘쌤	재재☆
상상진	씨미ssimmy	옴팡이	정선생
상실의시대	아날로그갬성이좋아요	와인샘	정희메나
새날아침	아름다운 그늘	완소쌤	제주감귤
새벽별_1700474	아름다운봄	완소아이템	제제
새벽은하수	아리까리아빠	요세핀	조용히손만드세요
새싹바람	아멜리아	요술콩	조은소리
새앰^^	아배고프다	요정뭉크	좋은교사
새한	아빠곰	우기쌤	주근깨쌤
샘물고기	아이들의권선생님	우다쌤	주향
샬랄라핀	아이엠쌤	우샘	준호경은맘
서샘입니다	아침산책	우케케걸	쥬우쥬
서윤이화이팅	아해사랑	울산곰쌤	쥬쥬우라기
서이샘	안싸부	울쌤백쌤	지니래요
선물123	안제	웃자다가	지우맘
선생님은귀가두개밖에없어	알림장꺼내보자쑹	워라벨이좋아	지훈쌤tv
선생님이방금말했잖아	알약	윈소	직왕
선생님이하는것잘봐	알콩살콩콩깍지샘	원일물레방아	진소희
선인장꽃	애슐리샘	유라에몽	질문은설명다끝나고해라
선회네그선회	애호박샘	유리배	쩝쩝
섬주민	앨리스♥	유리야	쪽잠
세상속으로	야채호빵의봄방학	유별나쌤	쭌공주
성성성성홍	야호디	윤서윤진	찐드기
소금별	양복동	윤스맘샘	차뇽쌤
소나무555	양홍	율찬하	참한교사
소나무세그루	얘들아선생님도사람이야	으랏차체	채도
소돼지	어반캐릭터스	으주니	채령아씨
소망가득	어왔나	은샘미소	책만읽고싶어요

책먹보심선생	피지오갤	[경금교]도랑동완판치	mozart
처음담임	하늘재	+홍샘+	mz
천사날개	하땅만큼 비타민	☆처럼크거라	neverland
청정원쌤	하리쌤	11월에	nmygirl
청포도봉봉	하마_1604196	1일1두유	NumberOne
첵스	하얀마인	anni0595	okmiuy99
초등교사 강지현	하자	anonym	pedant
초등미래교육공작소	학교를너무오래다녔어	ari3579	pinksnow
초등초등초등	한번만말할거야잘들어요	bestwe	porori~*
초록매실	한별나라	beyondis03	qkfka
초코봉봉	한여름밤의꿈	BILLY	raindrops
초코팝	할머니주머니	bluefairy	redsky32
최한빛	함행우현정쌤	Blueteacher	rkclek1234
추억은방울방울	항상기쁘게	chany	S3
축복의 통로	해안음	CHARM교사	sang99u
친절한영쌤	해피쌤님	daddylonglegs	sari81
카푸99	해피해피 700	dimanche	SayHello
캡틴	햄찌뿍뿍	dk다지오	sisisi
코끼리별	햇님은쨍쨍	dooserve	skywalkers
코람	햇반♥	dumoknim	smile:D♥
코스키	햇살드리	EDUIN	soa
코양이	햇살소리	eoshin119	sue_sue
콩깍지쌤	햇살이한가득	eun	SUE~☆
콩나물2	행복이2013	evergreen_20	Sun~SSem
큐트처키	행복한 김샘	eyre	sunshine
크롱크롱	행복한김슨생	GKT	supercubic
큰별쌤	행복한정원사	H_menti	s동감s
태산	행복한티처	heezoossam	takeonme
토디	행복햇살	helloyun;)	teacher쏭
토마토	허토끼	heya	TigerJY
통지표에사실대로쓸거야	허허쑥떡	historyst	uness001
퇴근하면선생님아니야	현영현	hjhwaya	violetdu
튼트니니	현진샘	in1004vin	walden
튼튼한영어	형님	jangubugs	YOU@ME
티케이쌤	호빵과방귀	jooha	YOUN
파란생쥐	호진쌤84	juju1022	zzzZ
팡팡팡	홍홍씨	juni6991	
펌킨	화내는 스마일	Justdo	
펭쌤	화수짱	kate4742	
편지쌤	화창한오후	kimz92	
포도송이 95	훈장어르신	kingkongssam	
푸른하늘~	혼이	kkugi	
푸아푸아	희망둥	Leminglace	
프래지어	희망을 잃지말자	love740904	
플랫	흰새	mama	
피리부는양치컵	*Anne*	menme1019	
피버지	*빛무리쌤*	mercuryen	

어쩌다
14만 초등교사 커뮤니티가 되어버린
인디스쿨,
그 20년간의 실험기

오늘도, 인디스쿨

인디스쿨 20주년 기념 아카이브팀

ginger T project
진저티프로젝트

차례

인디스쿨 창립 20주년을 축하합니다. 그러고 보니 제가 인디스쿨과 연을 맺은 지도 벌써 10년이 넘었습니다. 지난 10여 년간 교사학습공동체 연구를 하며 새로 세워진 공동체도, 무너지고 사라진 공동체도 많이 보았습니다. 인디스쿨은 어떻게 20여 년을 지속해 왔을까? 〈오늘도, 인디스쿨〉을 읽으며 20여 년을 함께 해온 14만 선생님들의 열정과 노력에 깊이 감동했습니다.

우리 아이들을 더 잘 가르치겠다는 일념으로 뭉친 선생님들, 그러기 위해서는 동료 교사들에게서 배우고, 내 것 또한 공유하고 가르쳐주며 협업해야 한다는 굳은 결심으로 각자의 교실에서 나와 인디스쿨에 모인 선생님들, 안주하지 않고 더 좋은 선생님, 더 큰 어른, 더 나은 사람이 되기 위해 부단히 노력하는 인디스쿨 선생님들, '내 아이들, 내 수업, 내 학교' 뿐만 아니라, '우리 아이들, 우리 수업, 우리 학교, 우리 교육'을 위해 함께 힘을 모은 인디스쿨 선생님들.

지난 20여 년의 험난한 여정을 꿋꿋이 헤쳐 나아간 인디스쿨 선생님들께 힘찬 응원을 보내며 앞으로의 여정에도 용기와 희망이 충만하길 기원합니다.

— 이화여자대학교 교육학과 서경혜 교수

'공유와 호혜의 원칙으로 연결의 재미를 추구하는 조직' 인디스쿨. 책을 읽으며 저에게 정리된 인디스쿨의 모습입니다. 교육 현장과 교사의 성장을 위해 먼저 길을 간 사람과 새롭게 길에 들어선 사람 간에 충분한 공유가 이루어지고, 이전과 똑같은 교육이 아닌 새로운 교육에 대한 기획을 응원하며 성장한 것이 그냥 저절로 이루어지는 것이 아님을 인디스쿨의 여정을 읽어 내려가면서 확인하는 시간이었습니다. 그 수고로움의 보상은 결국 우리 아이들의 웃음과 학교에 대한 신뢰로 이어지겠지요.

전국 초등교사의 약 78%가 인디스쿨에 가입된 이 현상만으로도 인디스쿨의 사회적 기여는 충분히 설명된다고 생각합니다. 권력이 아닌 '힘'입니다. 그 힘이 집중되기보다는 분산되어 있고, 행사되기보다는 공유되어 있다는 것이 진정한 인디스쿨의 '힘'이라고 생각합니다.

〈오늘도, 인디스쿨〉은 그 기록만으로도 가치가 있는 책입니다. 연결과 공유라는 시대 가치를 구현하고자 하는 사람들에게 좋은 교과서가 될 것입니다. 불평등, 기후 위기, 재난·감염의 위기를 이겨내기 위한 사회 전환의 방향은 경쟁과 갈등이 아닌 연결과 협력입니다. 그 가치를 잃지 않고 차분히 20년을 걸어온 인디스쿨의 기록은, 더 나은 우리 사회를 만들고자 현장에서 묵묵히 고군분투하는 많은 단체와 활동가들을 대변하고 있기도 합니다. 20년의 노고에 감사드리며 교육 현장에서 늘 든든한 비빌 언덕이 되어주시리라 믿습니다.

— 서울시NPO지원센터 **정란아** 센터장

다름은 차별과 배제의 원인이 아니라 창조와 창의의 원천입니다. 비슷한 교육 환경 속에서 다름을 바탕으로 교육에 균열을 내기 시작한 선생님들의 커뮤니티인 인디스쿨의 20년을 둘러볼 수 있는 책이 나왔습니다. 덜 외롭고 싶고, 그저 재미있어서 시작한 활동이 선생님들의 자기 성찰과 또 다른 배움으로 확장되는 놀라운 비정형성의 힘과 아름다움을 볼 수 있어서 참 좋았습니다.

여자답다, 남자답다, 학생답다, 교사답다…….
'답다'는 그저 '답답'할 뿐입니다.

다름에서 '교사다움'을 재발견하는 인디스쿨의 여정을 응원할 수밖에 없는 이유입니다.

— 다음세대재단 **방대욱** 대표

인디스쿨 20년,
싸이월드 시대에서 ZOOM의 시대까지

인디스쿨은 독특하고 양면적인 커뮤니티입니다. 초등교사 75% 이상이 가입되어 있는, 초등교사라면 누구나 아는 커뮤니티지만, 초등교사가 아닌 사람들은 존재조차 모르는 경우가 대부분입니다. 초등교사라면 누구에게나 열려있고, 그들의 일상에 매우 큰 영향을 주고 있지만 초등교사가 아닌 대상은 존재를 인지하기도, 가입하기도 불가능한 곳이지요. 열려 있지만 닫혀있고, 영향력이 있지만 알려지지 않은 곳. 인디스쿨은 그런 커뮤니티입니다.

그뿐만이 아닙니다. 인디스쿨은 동시 접속자 수가 몇만이나 되는 온라인 시스템을 갖추고 있지만 이런 대단한 시스템을 개발하고 관리하는 것은 '오늘도 교실에서 수업을 하고 있는 현직 초등교사' 개발자들입니다. 이 커뮤니티는 초등교사가 만들었고 그들이 자원봉사로 운영합니다. 지난 20년 동안 인디스쿨은 커뮤니티의 규모가 급속도로 커지는 가운데도 초등교사들이 커뮤니티를 직접 운영하는 방식을 유지했기 때문에 늘 크고 작은 시행착오를 겪어 왔습니다. 그래도 시스템을 개발하는 것, 프로그램과 연수를 기획하는 것, 커뮤니티를 운영하는 것을 초등교사들 스스로 하다 보니 교사들의 생생한 고민과 보람이 짙게 밴 커뮤니티가 되었습니다.

어느덧 인디스쿨이 만들어진 지 20년이 되었습니다. 싸이월드와 개인 홈페이지가 유행하던 시절 만들어진 이곳은 20년이라는 시간을 버텨 인공지능과 원격수업이 대세가 된 시대에 살고 있습니다. 인디스쿨의 20년을 들여다보면, 교육의 변화가 느껴지기도 하고 커뮤니티의 진화를 이해할 수 있기도 하고 기술 혁신의 영향력을 체감하게도 됩니다. 그래서 인디스쿨 20년의 이야기는 아이들이 행복한 교실을 만들어가는 교사들의 목소리이기도 하고, 플랫폼을 통해 교육자들을 혁신적으로 연결한 기술혁신 사례일 수도 있으며, 건강한 커뮤니티를 만드는 쉽지 않은 일을 인내로 겪어낸 운영자들의 성장통 이야기이기도 합니다.

덜 외롭고 싶어서, 그냥 재미있어서

인디스쿨의 시작은 참 단순합니다. 엄청난 역량을 가진 리더의 이야기나 강렬한 사건 같은 것은 등장하지 않습니다.

> "학교에서는 옆 반 선생님의 수업도 참관하기 힘들지만, 온라인이면 어떨까?"
> "서로가 서로의 교육 경험을 나누고 정보를 공유하는 편안한 장을 온라인에서라면 재미있게 만들 수 있지 않을까?"

초등교사라면 누구나 느끼는 고민을 나누고 경험과 지식을 공유하면 좋겠다는 생각을 가진 선생님이 하나둘씩 연결되고, 각자의 홈페이지를 하나로 묶는 것부터 시작해보자고 제안한 것이 커뮤니티로서 인디스쿨의 시작이었습니다. 대단한 커뮤니티나 조직을 만들겠다는 목표로 시작한 일이 아니었기에 인디스쿨을 시작했던 선생님 누구도 이곳이 14만 초등교사가 연결된 커뮤니티가 되리라고 예상한 사람은 없었습니다. 그저 각자의 교실에서 하고 있는 고민을 함께 나눌 동료들을 만나고 싶었고, 아이들과 함께 생활하며 얻은 경험과 노하우를 나누고 싶은 마음으로 시작한 일이었죠. 덜 외롭고 싶어서, 재미있어서 시작한 작당모의였습니다.

히든 피겨스 Hidden Figures

요술콩, 샘물, 디토, 툴툴공주, 스윙키드, 두콩.
withchild, 아해사랑, 힘찬예찬, 스마일어게인, 이음샘.

인디스쿨에서는 모두 닉네임을 씁니다. 어느 학교에 근무하는지, 학교에서의 직책은 무엇인지, 교직 경력은 몇 년인지는 중요하지 않습니다. '아이들이 행복한 교실'을 추구하는 누구나, 동등한 위치에서 이야기를 나눌 수 있습니다.

인디스쿨 20년 기록을 살펴보면, 수많은 닉네임이 등장합니다. 그중 유독 눈에 띄는 닉네임들도 있습니다. 교육 자료실에 유난히 많이 등장하는 닉네임도 있고, 게시판마다 부지런히 댓글을 남기는 닉네임도 있습니다. 인디스쿨이 사람들이 모이는 광장이 될 수 있었던 이유는 별다른 보상이 없어도 누군가에게 도움이 되기 위해 자기 시간과 경험, 재능을 나누어준 숨은 공로자들hidden figures이 있었기 때문입니다. 밤을 새우며 만든 자신만의 수업 콘텐츠를 꾸준히 올려주기도 하고, 다른 이들의 고민 상담마다 댓글로 따뜻한 격려를 나눠주기도 하는 존재 덕분에 인디스쿨은 '교육 정보를 얻기만 하는 서비스 플랫폼'이 아닌 '사람과 사람이 만나는 커뮤니티'로 성장할 수 있었습니다.

무엇을 이루었다고 쉬워지진 않았다

지난 20년 동안 인디스쿨에는 많은 사건 사고가 있었습니다. 서버가 다운되는 사건도 있었고, 운영비가 부족한 상황이 생기기도 했고, 때로는 운영진 간에 긴장과 갈등도 있었습니다. 그런 어려움 속에서도 의미 있는 변화와 영향은 꾸준히 일어났습니다. 새로운 주제와 형식의 교사 연수들이 나타나고, 수업 콘텐츠의 질이 향상되고, 원격 수업에서 필요로 하는 지식과 도구들이 공유되는 등의 변화가 있었습니다. 그렇게 인디스쿨이라는 커뮤니티는 교육 현장의 필요를 드러내고 새로운 시도를 시험하는 장이 되었습니다.

분명 의미 있는 변화를 만들었고 어려운 문제를 해결해왔지만, 여전히 인디스쿨이 가야 할 길은 쉽지 않습니다. 14만 명 규모로 팽창해버린 커뮤니티,

코로나로 새로운 문제들이 나타나는 교실, 경험과 감각이 다른 세대로 이루어진 교사들. 인디스쿨이 걸어온 20년의 여정도 쉽지 않았지만, 앞으로 가야 할 길도 그리 쉽지만은 않아 보입니다. 과연 교사들의 자발성으로 운영되는 커뮤니티 문화는 유지될 수 있을지, 교사들이 마주하고 있는 현장에서의 문제는 점점 심각해지는데 제대로 된 도움을 제공할 수 있을지, 20년 전에 만들어진 인디스쿨이라는 커뮤니티가 젊은 세대 교사의 방식과 감각에도 여전히 매력적일 수 있을지 쉽게 자신하긴 어렵습니다.

돌아보니 더 분명해지는 것들

이 책을 만드는 동안, 우리는 많은 사람들과 인디스쿨의 20년을 돌아보는 대화를 나눴습니다. 이 대화의 과정은 무척 흥미로웠지만 우리가 예상했던 것보다 훨씬 더 길고 복잡한 수고를 필요로 했습니다. 우리는 인디스쿨의 기록을 샅샅이 찾아내고, 역대 운영진을 찾아가 만나고, 데이터 안에 숨겨진 의미들을 찾기 위해 노력했습니다. 6개월을 예상했던 집필 기간은 1년 6개월을 훌쩍 넘겼습니다. 길고 쉽지 않은 과정이었지만, 20년 동안 살아남아 독특한 성장을 이룬 커뮤니티의 역사를 탐구하고, 그 커뮤니티가 긴 시간을 버텨온 특별한 존재 이유를 해석해보는 일은 우리에게도 깊은 질문을 던져주는 계기가 되었습니다.

이 탐구 과정에 깊이 몰입할 수 있었던 이유는 인디스쿨이 추구해 온 가치와 정신 때문이라는 생각이 듭니다. 사실 인디스쿨이라는 커뮤니티는 그 누구도 전체 모습을 알 수 없는 곳입니다. 인디스쿨을 만든 초창기 구성원도, 인디스쿨이라는 커뮤니티의 대표를 맡았던 이들이나 현재의 대표도, 인디스쿨에서 가장 열심히 활동하는 사용자도, 인디스쿨이라는 온라인 광장을 설계하고 기술적으로 구현한 기술팀도 일부밖에 알 수 없습니다. 모두가 주인이 될 수 있는 인디스쿨은, 어쩌면 그 누구도 주인이 아닌 커뮤니티이기 때문입니다. 모두가 이곳의 주인이 될 수 있기에 수많은 숨은 공로자hidden figures가 계속 나타날 수 있었습니다. 헌신적인 역대 대표들이라 할지라도 임기를 마치면 운영진으로 남지 않았던 문화 때문에 그 누구도 자신이 주인이라고 주장하기 어려운 조직이기도 합니다.

인디스쿨이 이 두 가지 모순된 가치—모두가 주인이지만, 누구도 주인일 수 없는—를 추구할 수 있었던 것은 인디스쿨이 '교사 자신만을 위한 커뮤니티'가 아닌 '아이들이 행복한 삶을 위한 교육을 함께 고민하고 만들어 가는 커뮤니티'를 지향해 왔기 때문인지 모릅니다. 인디스쿨의 20년을 돌아보고 기록하면서 우리는 인디스쿨이 정말 무엇을 추구했는지, 그리고 나는 어떤 가치를 추구하면서 살고 있는지 다시 생각해 볼 수 있는 기회를 얻었습니다.

인디스쿨 이야기, 어쩌면 당신의 이야기

이 책은 인디스쿨이라는 개별적인 커뮤니티, 혹은 조직의 역사를 담은 책이지만 인디스쿨을 전혀 알지 못하는 누군가도 읽기를 기대하면서 썼습니다. 그래서 우리는 인디스쿨의 성과나 연혁을 기록하는 데 집중하지 않았습니다. 대신 커뮤니티가 시작된 계기, 성장과 위기, 다양한 사람들의 실제 목소리를 담으려 노력했습니다. 그런 스토리 속에서는 자신과 연결되는 지점을 찾을 수 있을 거라 생각했기 때문입니다.

당신이 새로운 변화를 만들고 싶은 사람이라면
건강한 커뮤니티를 만들기 위해 고군분투하고 있는 사람이라면
변화하는 환경에서 조직이 나아갈 길을 새롭게 모색하고 있는 사람이라면

혹은 당신이 아이들이 행복한 사회를 만들어가고 싶은 사람이라면
여러 위기 속에서 지친 자신의 내면을 들여다보고 싶은 사람이라면
조직이 이룬 긍정적인 변화 혹은 현재의 위기를 이해하고 싶은 사람이라면

인디스쿨의 이야기 속에서 당신 자신의 이야기를 찾을 수 있으리라 기대합니다. 인디스쿨 20년 속에 들어 있는 열정과 위기, 헌신과 소진, 혁신과 정체, 유산과 과제 이야기들이 당신의 여정에도 좋은 참고가 되었으면 좋겠습니다.

1장

시작

그냥
재미있어서
했어요

20년 넘은 초등교사 공동체 인디스쿨은 누가, 왜 만들었는지 궁금증을 유발하기보다는 원래 그 자리에 있었고 앞으로도 있을 당연한 존재처럼 느껴질 때가 많다. 특히 교직을 시작하면서부터 인디스쿨 웹사이트 사용자였던 이에게 이곳은 공공재처럼 인식되기도 한다. 어떤 사람은 인디스쿨을 '공교육의 질 향상을 목표로 교육부의 지원을 받아 운영하는 초등교사의 수업 자료실'이라고 인식할지도 모른다.

오해와 다르게 인디스쿨은 시대적 배경, 교육 현장의 한계, 사람들의 염원이라는 토양 위에서 한 교사를 중심으로 몇몇 교사가 창업하듯 펼쳐나간 커뮤니티다. 이후 인디스쿨 정신에 공감하는 수많은 초등교사가 이 커뮤니티에 참여했고 이곳을 거쳐 간 17만이 넘는 사람에 의해 20년 넘게 존속되고 있다. 전국의 초등교사가 함께 쌓아 올린 하나의 현상인 '초등교사 커뮤니티 인디스쿨'은 참여한 모두에게 그 공로가 있다. 그럼에도 전국의 교사들이 서로에게 배우고 소통하는 가운데 학생 앞에 설 용기를 얻도록 하는 이 연결의 장을 처음 마련한 사람이 어떤 마음으로 시작했는지 살펴보는 일은 가치롭다. 인디스쿨을 드나드는 이들이 이곳을 왜 좋아하기 시작했는지, 무엇을 이루는 일에 동참한 것인지 기억하는 데 도움이 되는 덕분이다.

한 초등교사의 네 번째 프로젝트, 인디스쿨

인디스쿨은 2000년 말 오픈했다. 이제 몇 년 후면 그해에 태어난 사람도 교직에 들어올 만큼 시간이 흘렀다. 2000년은 싸이월드[1]가 서비스를 개시하고 붉은악마[2] 홈페이지가 막 생겨난 해다. 그 무렵 대한민국에서는 인터넷 사용자가 1천만 명을 돌파했고, 개인 홈페이지를 만드는 도구와 지식이 널리 보급되었다. 후기 밀레니얼 세대가 초등학생이던 그 시절에는 초등학생 사이에서도 나모 웹에디터[3] 등으로 자기 홈페이지를 만드는 일이 흔했으니, 그야말로 개인 홈페이지의 전성기였다. 자연히 교육계에서도 젊은 교사를 중심으로 학급 홈페이지와 교사 홈페이지 운영이 유행처럼 번졌다. 보편성과 전염력, 유행의 강도가 지금의 유튜브 채널 운영쯤 되지 않았을까 싶다. 이러한 토양에서 이전까지의 교사 홈페이지와 비슷한 듯 보이지만 전혀 다른 플랫폼, 아니 커뮤니티인 인디스쿨이 문을 열었다.

인디스쿨 창립자이자 1대 대표인 **대두샘**은 교사 홈페이지가 유행하던

---

1 싸이월드는 대한민국의 소셜 네트워크 서비스이다. 흔히 싸이라고 줄여 말하기도 하는데 이는 사이버를 뜻하지만 "사이", 곧 "관계"를 뜻하기도 한다. 위키백과. (2021). "싸이월드". https://ko.wikipedia.org/wiki/싸이월드.

2 붉은악마는 대한민국 축구 국가대표팀의 공식 서포터즈 클럽이다. 1997년 봄 PC 통신의 축구 관련 동호회에서 1998년 FIFA 월드컵 아시아 예선을 앞두고 국가대표팀을 조직적으로 응원해야 할 필요성에 대해서 공감대가 형성되었다. 위키백과. (2021). "붉은악마". https://ko.wikipedia.org/wiki/붉은악마.

3 나모 웹에디터는 나모인터랙티브에서 개발 판매하는 위지위그 HTML 편집기이다. 위키백과. (2021) "나모 웹에디터". https://ko.wikipedia.org/wiki/나모_웹에디터.

시절, 흐름에 일찍이 올라탄 인물이다. 그는 인디스쿨 이전에 〈대두샘의 환경 이야기〉라는, 환경 교육에 관한 사이트를 운영하고 있었다. 홈페이지 첫 화면에는 인간이 지구라는 어항에 살고 있다는 의미를 담아 어항과 금붕어 그림을 넣었다. '지속 가능한 환경'이라는 개인적 관심 주제를 다루는 홈페이지를 운영하면서, 야후와 같은 디렉토리 방식[4]의 교육 검색엔진, 〈대두샘의 초등 교육 검색 포털〉을 제작하기도 했다. 이 사이트는 교육 포털을 지향했지만 개인이 혼자 감당하기 어려워 오래 유지하지는 못했다. **대두샘**은 이어 〈T-Cafe^Teacher's Cafe〉라는 홈페이지를 개설했다. 지금이야 온라인이든 오프라인이든 '카페'라는 개념의 공간이 흔하고, 카페를 대화와 영감의 장소로 여기는 사람이 많지만, 1990년대에는 '카페'라는 어감에서 주점을 떠올리는 사람이 많았다고 한다. 그는 유럽의 카페가 '지식인들이 모여 정보를 공유하고 의견을 나누는 장소'로 여겨짐에 착안하여, 교사를 위한 정보와 의견 교류 장소로서의 〈T-Cafe〉를 만들었다. 개인의 지식과 자료를 나누는 홈페이지와 검색 사이트를 운영하다가 대화의 장으로서의 카페를 개설하게 된 것이다.

그는 〈T-Cafe〉를 운영하면서 무언가 충분치 않다고 느꼈다. 대화의 장이 펼쳐지기보다는 여전히 일부 사람이 만든 자료가 공유될 뿐인 현상이 답답했다. 카페라는 '전혀 새로운 개념'을 꿈꾸었지만, 그저 더 나은 수준의 개

---

4   디렉토리 검색 서비스는 다양한 분야를 카테고리로 나누어 사용자들이 정보를 찾을 수 있도록 일정한 순서에 의해 정리해 놓은 검색 서비스이다. 미공블로그. (2005). "디렉토리 검색엔진". https://blog.naver.com/virspace/80012294506.

인 홈페이지를 만든 셈이 되었다. 더 많은 교사가 저마다의 지식을 공유하고 의견을 나누는 장을 만들 수는 없을까? 그는 고민했다. 우연한 기회로 다른 교실에 들어가 보면 언제나 배울 점이 있었지만, 초등학교는 직무 특성과 공간 구조상 옆 반에서 무엇을 하는지 알기 어렵다는 점이 늘 안타까웠다. 닫힌 교실 문을 열고 모두가 자기 것을 나눌 수 있다면 얼마나 좋을까? 비단 자료뿐만 아니라 저마다의 생각을 나누는 것만으로, 어쩌면 대화하는 것만으로도 교육 현장에 도움이 될 텐데. **대두샘** 안에서 '닫힌 교실 문을 열어야겠다'라는 막연하지만 혁신적인 생각이 점점 더 진해졌다. 이번에는 '카페'를 넘어 '커뮤니티'를 만들어야겠다고 생각했고, '초등교사 커뮤니티 인디스쿨'이라는 명칭을 가진 웹사이트를 제작하기에 이르렀다.

인디스쿨 홈페이지는 **대두샘**의 네 번째 프로젝트라고 볼 수 있다. 인디스쿨에 앞선 그의 세 가지 프로젝트는 모두 교사 홈페이지, 교육에 관한 홈페이지라는 겉옷을 입고 있었지만, 그 속에 담긴 개념은 전혀 달랐다. 만들고, 관찰하고, '왜 소통이 충분하게 일어나지 않는 걸까?', '어떻게 하면 닫힌 교실 문을 열 수 있을까?', '현장의 지식이 온라인에서 공유되게 하려면 어떻게 해야 할까?' 끊임없이 질문하는 가운데 그의 프로젝트는 교사 개인의 이야기(대두샘의 환경 이야기)와 교육 정보 검색 엔진(대두샘의 초등 교육 검색 포털)에서 교사들의 영감의 장소(Teacher's Cafe)로, 다시 교사 공동체(초등교사 커뮤니티 인디스쿨)로 확장된 것이다.

도원결의

대두샘은 홈페이지 세팅과 초반 운영은 혼자 했지만, 계속 홀로 운영해서는 안 되겠다고 생각했다. 뜻이 맞는 동료를 모으지 않고서는 이전에 운영하던 개인 홈페이지, 혼자 관리하는 포털 사이트, 소수만이 자료를 나누는 카페 T-Cafe와 다를 바 없이 운영될 거라는 생각이 들었고, 당시 운영 중이던 교사 개인 홈페이지 〈작은불꽃세상〉, 〈산마로닷컴〉 등을 찾아가 방명록에 글을 남겼다. "모두가 함께 만드는, 접속하는 이들에 의해 만들어지는, 모두가 운영자인 커뮤니티 '인디스쿨' 사이트를 운영하고자 하는데 혹시 참여할 뜻이 없으십니까?" 교사 홈페이지를 운영한다는 공통분모를 가진 교사를 찾아가 "너 내 동료가 돼라"[5] 하고 메시지를 남긴 것이다.

훗날 2대 대표가 되는 **작은불꽃**은 당시 〈작은불꽃세상〉이라는 홈페이지를 운영하고 있었다. 그는 교실 환경 꾸미기 정보를 중심으로 자료를 공유하고 있었다. 그때는 환경 미화가 초등 담임 교사의 주요 과제로 다루어졌으되 환경 미화를 잘하는 방법을 스스로 알아내야만 하는 시대였다. 수업 관련 정보 공유 플랫폼이 전무했기에 신규교사는 교실을 어떻게 꾸며야 할지 막막하기만 했다. **작은불꽃**은 해야 하는 일을 잘하고 싶어서 자료를 선별하여 모으고, 필요로 인해 아카이브 하다 보니 동료에게 나눌 수 있는 수준이 되었다. 그가 환경 미화 자료를 모은 것처럼 몇몇 교사들이 필요에 의해

---

5 만화 〈원피스〉의 명대사.

수업과 학급 운영을 잘하기 위한 자료를 큐레이션, 편집, 제작하는 일이 생겼고, 이 노력의 흔적을 나누다 보니 다른 교실에 도움이 되었다. 개인 홈페이지의 시대에 시작된 '내 교실을 위해 애쓰고', '경험을 나누고', '나눔을 계기로 더욱 성장하는' 공식은 인디스쿨로 이어져 20년 넘게 인디스쿨 정체성의 근간을 이룬다.

개인 홈페이지를 운영하면서 '운영자의 공지 및 게시'와 '방문자의 화답'으로 구성된 일방형 소통을 주로 해온 **작은불꽃과 산마로**는 **대두샘**의 새로운 아이디어에 마음이 끌렸다. 세 사람 모두 경기도 고양시에 근무하고 있었기에 그들의 만남은 자연스럽게 이루어졌다. 하마터면 술만 마시다가 헤어질 뻔하기도 했지만, **산마로**가 "이렇게 헤어지면 안 된다. 더 이야기를 나누어 보자"라고 붙잡아 이야기를 발전시켜 나가면서 생각의 결을 맞추었다.[6] 서른 즈음의 세 사람이 모여 뜻을 세우던 그날을 그들은 '도원결의'라고 부른다. 인디스쿨 커뮤니티를 처음 생각해내고 웹사이트를 만들어 사람을 모은 **대두샘**, 후에 온·오프라인을 넘나들며 많은 사람을 연결한 기획자 **작은불꽃**, 사람들을 따뜻하게 맞이하고 더 머무르고 싶은 커뮤니티로 가꾸던 **산마**

---

6 작은불꽃은 산마로 덕분에 술만 마시지 않고 회담다운 회담을 할 수 있었다는 뉘앙스로 술회했지만, 이에 관하여 산마로는 조금 다르게 기억하고 있었다. 생산적인 회의를 이끌어내기 위해 "이대로 헤어질 수 없다!"라고 한 것이 아니라 대두샘이 한약을 복용한다는 이유로 술을 입에 대지 않은 것이 아쉬워 더 이야기를 나누며 술을 마시자고 제안했다는 것이다. 산마로의 재미난 증언을 공유한다.
   "대두샘, 작은불꽃, 산마로가 고양 풍동 쪽에서 만났습니다. 당연히 술 한잔을 하였는데, 대두샘이 한약을 먹고 있어서 술을 안 마셨어요. 그래서 작은불꽃과 산마로만 마셨죠. 대두샘과 술 한잔 못한 것이 아쉽고 해서 '더 이야기하자면서' 대두샘이 살던 집 근처(밤가시 초가집)로 자리를 옮겼어요. 대두샘도 아쉬워서 이때부터는 한약 복용 중임에도 술을 같이 마셨고, 더 진솔하고 인간적인 이야기를 하게 되었습니다. 이것이 제가 기억하는 그날이에요."

로는 서로를 '궁합이 잘 맞는 멤버'로 추억한다.

세 사람은 초등교사의 소통 한계에 깊이 공감했다. 옆 반에서 무엇을 하는지 알 수 없는 초등 교육 현장의 한계를 개선하면서, 소수의 사람이 업로드한 자료를 손님으로 접속한 사람이 다운로드해 쓰는 일방형 자료실 기능을 넘어서는 단계가 필요하다고 생각했다. 그들은 만남을 거듭할수록 '똑같은 생각'과 '똑같은 의지'를 가지게 되었고, 참여하는 모든 사람이 운영자가 되고, 쌍방향으로 교류하는, '커뮤니티로서의 인디스쿨'을 만들어가기로 했다. **대두샘**이 만들어둔 인디스쿨 홈페이지에 **산마로**와 **작은불꽃**이 참여하기로 하면서 지금의 인디스쿨이 시작되었다고 볼 수 있다. 홈페이지 개설은 2000년도 겨울 이전에 했지만, 그럴싸한 날짜가 필요하다는 생각에 창립기념일을 2000년 12월 24일, 크리스마스이브로 정했다. 인디스쿨은 20년째 크리스마스이브를 창립 기념일로 삼는다. 그때 그 젊은이들은 자신들이 정한 날을 20년 넘게 기념할 줄 알지 못했다.

그냥 재미있어서 했어요

이들 3인방에게는 분명한 문제의식과 선한 의지가 있었다. 그렇지만 집단 지성으로 대한민국 교육계에 새바람을 일으키겠다거나 비영리 단체로서 무브먼트를 일으키겠다는 결심, 청사진이 있었던 것은 아니다. **대두샘**은 인디스쿨이 이렇게 커질 줄 전혀 예상하지 못했다면서, '창립자의 거룩한 사명감' 같은 게 있었더라면 좋았을 텐데 아쉽게도 자신에게 별로 큰 뜻은 없었다고 고백하듯 말한다. 그는 인디스쿨 기록물 제작을 위한 인터뷰를 시작하면서, "꾸며서 말할까 봐 걱정돼서 일부러 준비를 안 하고 왔어요. 제가 그렇게 멋있는 생각을 했던 건 아니거든요"라고 말하기도 했다. 기록물을 위해 인터뷰하는 사람 입장에서는, 닫힌 교실 문을 열고자 했던 마음에 살을 보태고 멋을 뿌려서 감동적인 스토리를 들려주었으면 하는 마음도 있었기에 그 담백한 말에 아쉬움을 느끼기도 했다. 한편, **대두샘**이 참으로 인디스러운 창립자라는 생각이 들었다.

인디스쿨 운영은 대표를 포함한 운영진을 중심으로 이루어지는데, 현 운영진 중에는 **대두샘**의 얼굴조차 모르는 이들이 많다. 닉네임은 알지만 실명은 헷갈려 하는 사람도 있을 것이다. 인디스쿨은 일반적인 기업이나 재단과는 작동 방식이 판이한데, 그중에서도 창립자 개인의 존재와 철학을 전혀 강조하지 않는다는 점이 도드라진다. 대표는 운영진의 투표를 통해 선출되는데, 정관에 명시된 임기를 마치면 대부분 일반회원으로 돌아가는 데다가 전임 대표라고 해서 특별한 대우 같은 것을 일절 받지 않으니 역대 대표가 대표였다는 이유로 주목받을 기회는 거의 없다. 역대 운영진 일부는 감사위원이나 선거관리위원회 활동으로 운영진을 지원하기도 하지만, 현재의 운영에 영향력을 행사하지는 않는다.

한번은 **대두샘**에게 인디스쿨 리트릿⁷에 참석해 '한 말씀 해주십사' 요청한 일이 있다. 으레 큰 행사를 시작할 때 가장 중요한 인물이 '한 말씀'을 하지 않나. 그렇게 일반적인 부탁에도 **대두샘**은 조심스럽게 "제가 나서는 게 인디스러운 걸까요?"라고 되물었다. 20년 전에 대단한 일을 했다고 평가받는 사람이 자기를 드러내지 않으려는 모습을 반복해 보이니, 그의 이미지는 더욱 미화될 수밖에 없었다. 인디스쿨 운영에 최근 합류한 사람들의 상상 속에서 **대두샘**은 과묵하고 철학적이고 자기를 드러내지 않는 재야의 현인쯤으로 자리하기도 한다. 그와 직접 대화하지 않고 그에 관한 소문과 에피소드를 토대로 기록물을 써 내려갔다면 지금보다 그럴싸하고 폼나는 탄생 설화를 썼을지 모르겠다. 다행히 그가 2000년대에 활동하며 남겨둔 게시글을 거의 전부 읽고, 실물을 영접하여 장시간 대화할 기회가 있었는데, '실재에 관한' 이야기와 '실재' 사이에는 굴절이 상당했다. 극심한 차이가 있었던 것은 아니지만, 같지도 않았다. 그는 멋진 사람이었지만 소문보다 훨씬 담백했다. 유쾌하고, 푸근하고, 그냥 '옆 반 선생님'이었다.

---

7 리트릿은 '복잡한 일상에서 한발 물러서다'라는 뜻으로, 전국의 초등교사들이 복잡한 학교 업무에서 잠시 떠나 위로와 배움을 얻는 시간을 보낼 수 있도록 인디스쿨 중앙에서 개최하는 행사다. 이는 2019년 서울시NPO지원센터 <조직변화 실험실> 사업의 일환으로 처음 시도했고, 당시 40여 명의 인디스쿨 회원이 강릉에서 서로 격려하고 인디스쿨로서의 멤버십을 다지는 시간을 보냈다. 2020년에는 코로나바이러스로 인해 화상회의 도구를 이용해 100여 명이 온라인에서 나누고, 배우고, 회고하고, 성장하는 시간을 가졌다. 인디스쿨에서 십수 년간 운영진으로 활동한 사람들에 의하면, 대화하면서 교실을 세워갈 힘을 얻을 수 있고, 소소한 나눔연수가 이루어지는 리트릿 현장이야말로 인디스쿨의 원형에 가까운 모습이다. 인디스쿨 리트릿의 풍경은 인디스쿨 브런치(https://brunch.co.kr/@indis-chool)에서 확인할 수 있다.

뜻밖에 **대두샘**은 재미를 중요하게 여기는 캐릭터로서 인디스쿨을 '재미'로 기억하고 있기도 했다. 그에게 '인디스쿨을 만들고 지속할 수 있었던 힘'에 관해 물었을 때 돌아온 말은 단순 그 자체였다. **"그냥 재미있어서 했는데요? 이런 말은 기록물에 도움이 안 될 것 같네요…"** 대두샘은 홈페이지를 제작하고 관리하는 과정에 많은 시간을 쏟았고, 회원이 급속도로 증가하면서 시쳇말로 '멘탈 붕괴'에 빠지기도 했지만 그 모든 과정이 재미있었다고 한다. 대표 재임 동안 힘든 일도 많았지만 언제나 재미의 영향력이 이겼다. 그는 당시의 자기 모습을 자신도 이해하기 어렵다면서, 운영체제 리눅스를 만든 개발자 리누스 토발즈Linus Benedict Torvalds 이야기를 꺼냈다. 리눅스 창시자의 책 제목 〈리눅스 그냥 재미로〉[8]로 당시의 자신을 설명할 수 있을 것 같다고 말이다. 인디스쿨을 만들고 운영하는 일이 너무 재미있었다는, 재미 덕분에 이어갔다는 말을 책 인용까지 하면서 설명한 것이다.

교육 현장에서 갖게 된 문제의식을 실제 아이디어로 발전시켜 인디스쿨을 만들고, 동료를 모으고, 일을 추진할 수 있었던 힘은 사명감보다는 '새로운 것을 좋아하고 재미있는 일에 몰입하는 성향'에서 나왔다고 **대두샘**은 말한다. 그의 말은 뜻밖이었고 얼마간 신선했지만, 낯설지는 않다. 인디스쿨 안에서 수고하는 사람들이 진심으로 즐기고 있는 것처럼 느껴질 때가 많기 때문이다. 교육 자료 파워업로더인 황금별 교사들이나, 기술연구팀 개발자 교사들을 만나 보면 누구나 진심 어린 재미를 엿볼 수 있을 것이다. 그들의 수고로움, 익명의 회원으로부터 얻는 상처와는 별개로 말이다.

---

8 리누스 토발즈 & 데이비드 다이아몬드. (2001). 리눅스 그냥 재미로(안진환 옮김). 한겨레신문사.

얼마나 많은 작업이 필요한지 미리 알았더라면, 지금처럼 10년 후에도 끝을 못 본 채 계속 진행해야 하고, 그 10년 동안 전적으로 매달려야 한다는 것을 미리 알았더라면, 나는 결코 시작조차 하지 않았을 것이다. (…) 그렇다. 작업량이 얼마나 많을지, 그 과정이 얼마나 어렵고 힘들지, 미리 알았더라면 나는 아마 안 했을 것이다. (…) 이와 마찬가지로 나는 또한 긍정적인 측면도 예측할 수 없었다. 내가 얼마나 많은 지원을 받게 될지, 얼마나 많은 사람들이 리눅스 발전에 참여해줄지 등도 몰랐단 얘기다.

- 〈리눅스 그냥 재미로〉, 리누스 토발즈, 데이비드 다이아몬드

작은불꽃도 자신의 운영진 활동 시절을 '재미'로 회상한다. 학교 안에만 머물다 인터넷을 통해 다른 교사와 연결되는 길이 열린 것은 그 자체로 무척 신나는 일이었고, 커뮤니티 덕분에 성장하고 싶은 욕구를 마음껏 분출할 수 있었던 일 역시 기뻤다. 인터넷의 발달과 온라인 커뮤니티의 등장이라는 시대적 환희에, 단절된 소통 문화 속 신규교사의 갈증이 더해져 초등교사 커뮤니티 인디스쿨은 매력적일 수밖에 없었다. **작은불꽃**은 운영진 활동 7년 내내 재미있었다고까지 말한다. "저는 정말 재미있었어요. 정말 재미있고 좋았어요. 제가 대표운영자를 할 때 사람들이 요즘 뭐 하냐고 물으면 '저는 24시간 인디스쿨 생각만 해요'라고 말했어요." 운영진을 시작하던 당시 동료 교사와의 연결 자체로 재미있던 공간은, 차츰 문제 해결자로서의 재미와 의미를 느끼게 해 주었다. "무언가 문제가 있을 때, 내가 노력해서 해결할 수 있다는 게 즐거웠어요." 그는 문제 해결자 포지션에 재미를 느끼며, 현장 중심 연수를 끊임없이 기획했고 연수 패러다임의 변화에 기여하기도 했다.

현재 인디스쿨에서 열심히 활동하는 사람이라면 **대두샘, 작은불꽃, 산마로**를 개인적으로 알지 못한다 해도 이 이야기를 고개 끄덕이면서 읽을 수 있을 것이다. 20년 전에 인디스쿨 커뮤니티를 만들고 세워나간 사람의 말임에도 시간성을 초월한 공감이 가능한 이유는, 과거의 그들이 주창했던 '닫힌 교실 문을 열고자 힘쓰고' '내 교실을 위해 애쓴 흔적을 나눔으로써 다른 교실에 도움이 되고' '찾아오는 이들에 의해 만들어지는 커뮤니티로 가꾸는 일'이 오늘도 진행 중이기 때문에, 그리고 인디스쿨에서 일하는 사람들에게는 여전히 사심없는 재미가 가장 중요하기 때문이 아닐까 싶다. 인디스쿨은 외적으로 20년 전과 많은 것이 달라졌지만, 신기하게도 그 지향과 동기에 있어서는 꼭 같은 모습이다.

YOUN

YOUN은 보이지 않는 곳에서 꾸준히, 한결같이 인디스쿨을 움직인 사람이다. 오랜 휴직 기간을 보내고 다시 교직에 돌아와, 고군분투 했던 시간이 있었기에 그는 인디스쿨이라는 존재가 초등교사에게 어떤 의미인지 누구보다 잘 알고 있었다. 신세계에 눈을 뜬 것처럼 인디스쿨을 만났다고 고백하는 그는 인디스쿨을 참 열렬히 사랑했다. 수년간 운영진으로서 함께 해온 것도 빼놓을 순 없지만, 2000년대 유행하던 수업 자료인 플래시 자료를 만들기 위해 밤새 공부하기도 하고, 댓글의 맛과 힘을 알기에 '무플방지위원회'처럼 참여해 모든 게시글에 '감사합니다'라는 댓글을 빠짐없이 다는 일까지 인디스쿨의 일이라면 기꺼이 팔을 걷어 붙였다. 인디스쿨을 이용하는 여느 교사들이 그렇듯, 보이지 않는 곳에서 인디스쿨을 움직이고 성장시킨 그를 만나 인디스쿨의 의미와 가치를 물었다.

초등교사로 2년 정도 일을 하다가, 결혼하면서 교직을 떠났죠. 어느새 자라서 5학년, 3학년 된 아이들이 엄마가 일을 하고 싶다면 다시 학교로 가도 된다는 말을 하길래, 다시 시험을 보고 13년 만에 다시 교단에 서게 됐어요. 그런데 이 교직 생활이 너무 낯선 거예요.

당시만 하더라도 선생님들이 교실 문을 열어 서로 공유하는 문화가 전혀 없었어요. 자신의 것을 자신의 교실에서 잘하는 게 겸손이고, 미덕처럼 여겨지던 시대였죠. 옆에서 보기에 잘하고 있는 것 같아 물어봐도 '아무것도 아니에요.' 하면서 다들 안 가르쳐주시는 거예요. 서로의 교실 문을 열고 나눌 수 있다면 좋겠다는 생각이 절실했었던 차에, 인디스쿨을 만난 거죠.

저는 2002년도에 인디스쿨을 처음 알게 되었는데요. '플래시 노래방'이라는 수업자료를 만들어 올리던 어느 사이트에서 '인디스쿨에서 가져옴'이라는 문구가 달려 있는 여러 자료를 보게 되었어요.

인디스쿨이라는 곳에 들어가 보니 대두샘, 작은불꽃샘, 산마로샘, 초등참사랑샘 등 당시 유명 교육 사이트를 운영하시던 선생님들이 주축이 되어서, 단순히 수업 자료만 나누는 게 아니라 교육에 대한 자신의 생각까지 대화를 나누시더라고요. 그 당시 다른 수업 자료실 사이트들은 그렇지 않았거든요. 어떻게 하면 우리의 아이들이 행복하게 학교생활을 할 수 있을지, 재미있게 학습할 수 있을지를 직접 보여주시기도 하고, 다른 선생님들도 각자 가지고 있는 것을 함께 나눌 수 있는 장을 만들어주고 있더군요.

어느 날, 대두샘, 산마로샘이 오프라인 모임을 연다고, 누구나 환영이라고 글을 올리신 걸 봤어요. 무작정 선생님들을 만나러 갔고, 그렇게 인디스쿨과의 인연이 본격적으로 시작된 거죠. 지금의 인디스쿨 운영진은 제안을 받고 시작하잖아요. 그때는 운영진이라는 개념도 없었어요. '일을 할 사람들이 필요한데, 같이 하자'라는 이야기를 듣고, 같이 일을 하기 시작했죠.

어느 시점 이후부터는 인디스쿨에 접속자가 너무 많아지니까 계속 트래픽이 걸리는 거예요. 운영진들이 자비로 돈을 걷어서 추가 서버 비용을 내며 트래픽 확장을 했지만, 수많은 선생님의 접속량을 감당하기가 벅찼던 거죠. 계속 트래픽에 걸리다가 결국 사이트가 막혀버렸어요.

신촌에서 긴급 운영진 회의를 했어요. 그것도 이틀에 걸쳐 7시간도 넘게요. 아무 조건 없이 후원해 주겠다는 문제집 회사가 있으니 도움을 받자는 의견도 있었고, 광고 제안을 받은 게 있으니 사이트 내에 광고를 넣으면 어떨까 하는 의견도 있었고요, 유료화를 하자는 의견 등 많은 의견이 치열하게 오고 갔어요. 그런데 아무리 생각해도 이런 의견들은 인디스쿨이 가진 독립정신에 어긋나는 것 같았어요.

당시 인디스쿨 홈페이지는 현재 상황을 안내하는 게시판 하나만 열려 있었는데, 이때 전국 선생님들로부터 '인디스쿨을 함께 살리자'는 글이 수없이 올라왔어요. 운영진끼리 운영하기 어렵다면 선생님들께 자발적 운영회비를 걷어서 같이 운영하면 어떻겠냐고 저도 목소리를 보탰어요. 안될 거라는 이야기도 나왔지만, 되는지 안 되는지는 해보고 그래도 안 되면 없어지는 한이 있더라도 인디스쿨의 독립정신을 훼손시키지 말자는 쪽으로 이야기가 모였어요. 그렇게 자발적 운영회비가 시작된 거예요. 후에 정기적으로 후원 받는 체계도 생기고, 연수도 더 적극적으로 안정적으로 하게 됐죠. 그전엔 모임 장소 대관비도 선생님들이 자비로 모아서 했었거든요. 아마 그날이 인디스쿨에게 있어서 제일 큰 에피소드, 제일 큰 역사의 현장인 것 같아요.

수업 자료로 '플래시 노래방'이 유행한 적이 있어요. 고작 60시간 연수 받은 거로, 아마추어지만 열심히 밤새우면서 작업했어요. 그렇게 만든 자료를 인디스쿨에 올리고, 전국의 교실에서 즐겁게 노래를 부르면서 재밌게 공부할 아이들을 생각하니 행복했죠. 또, 선생님들의 고맙다는 댓글을 보면 밤새 고생한 게 싹 사라지면서 더 만들어볼까 싶어지더라고요. 스스로 '댓글을 먹고 산다'라고 말할 정도로 댓글의 힘을 느꼈어요. 그런데 어떤 글들에는 댓글이 없는 게 눈에 들어오더라고요.

댓글이 있을 때의 힘을 아니까 스스로 목표를 세웠어요. 인디스쿨의 모든 게시판에 댓글이 없는 글이 없게 하겠다고요. 그래서 모든 글에 댓글을 달되, 대화하듯 매번 다르게 달았어요. 그 이후엔 자신의 수업 이야기를 보여달라는 글을 많이 썼어요. 자료만 올리는 게 아니라, 이 자료를 가지고 수업을 하니까 어땠는지 이야기를 공유하자고 했어요. 그것도 그냥 저부터 시작하겠다, 글을 쓰고 시작했어요. 저도 그렇고, 다른 운영진들도 그렇고 어떤 대가를 바라고 인디스쿨에서 운영진으로 일을 한 건 아니지만 대가를 받았다고 생각해요. 어떤 면에선 떠밀리듯 역할을 맡았겠지만, 그 안에서 스스로 할 수 없이 발전했고, 연구하고 공부한 걸 나누고 연수하기도 하면서 자기가 자기를 키운 거죠.

인디스쿨은 사람도 성장시키지만, 무엇보다 교육의 문화를 바꾼다고 생각해요. 교육과정이 바뀌고, 교과서가 달라지고, 온갖 연수를 들이대도 선생님들의 마음을 감동시키지도, 선생님들을 움직이지도 못했어요. 그런데 인디스쿨은 선생님들이 자발적으로 움직이는 문화를 만들었어요. 지금이야 수업준비를 위해 인디스쿨을 첫 번째로 찾는 것이 생활화 되었지만, 예전에는 동학년끼리 공유하는 문화도 없었거든요. 요즘은 자기만 특출나게 잘하는 게 아니라 '저 이거 할 건데 같이 하실래요?' 하는 말이 정말 편해졌다는 걸 느껴요. 서로 어떻게 하는지를 묻는 어떤 문화가 퍼지게 된 거죠. 자유롭고 창의롭게 선생님 스스로 자신의 역할을 찾게 하고, 자신이 가진 걸 공유하게 하는 문화는 인디스쿨이 20년에 걸쳐서 발전시킨 거라고 생각해요.

인디스쿨을 무엇이라고 정의할 수 있을까요? 각자 바라보는 관점이 다를 것 같아요. 저에겐 각자 자신이 원하는 것을 이루고자 하는 노력이 보이는 공간이에요. 나누는 입장에서는 나의 존재의 의미, 기쁨을 위해서 나눌 수 있었어요. 연수도 마찬가지죠. 연수를 진행하신 선생님들의 노력이 크지만, 정체된 걸 벗어나기 위해 자신을 바꾸고 배우고 발전시키는 그 노력을 연수받는 선생님들도 하신 거잖아요. 나는 이걸로, 어떤 분은 저걸로, 각자 역할은 다르지만 자신을 위한 노력을 했고, 그 노력이 교실에, 교육현장에서 펼쳐지게 하는 곳이 인디스쿨이죠.

저는 아들, 며느리, 딸 그리고 아버지까지 다 초등교사예요. 초등교사라는 직업과 제가 인연이 깊네요. 돌아보니 제 반 평생을 거의 인디스쿨에 썼더라고요. 사실 요즘 인디스쿨을 보면 참 자랑스러워요. 초창기에는 일부 선생님들이 만든 자료를 받아 가는 형태가 주였다면, 지금의 인디스쿨은 무수히 많은 선생님이 스스로 발전시킨 자료를 아낌없이 나누어 주시는 것 같아요.

한쪽으로 치우친 게 아니라 여러 선생님의 색깔이 서로 어우러지는 모습, 그곳에서 균형이 이루어지는 모습이 보여요. 그냥 제 나름대로는 긴 흐름 속에서 나도 조금이라도 역할을 한 것 같아서 뿌듯하달까요. 내가 함께했던 곳이, 내가 했던 노력이 헛되지 않았구나 싶어요. 곧 정년을 앞두고 있어서, 퇴임할 때까지 어떻게 해야 하나 싶었는데요. 그런데 뭐 내 나이가 어때서. 앞으로도 자료를 열심히 올릴 텐데, 제 아이디만 보면 젊은 사람이라고 생각하지 않을까요. 할 수 있는 걸, 실천하는 노력을 앞으로도 하고 싶어요.

2장

배
경

교사는 매일이
생방송

인디스쿨이 만들어지던 당시 학교는 '성장하고자 하는 열망'이 있는 사람에게 참 불편한 구조였다. 교사의 일, 교사 존재에 관해 이야기를 나눌 기회가 드물었고, 수직적인 소통 구조, 딱딱한 위계질서, 튀는 것을 싫어하는 분위기가 만연했다. 그러다 보니 젊은 교사들은 성장 욕구를 내비치는 일이 눈치 보이기도 했다. 학교 밖에서 이루어지는 교사 연수는 정형화된 모범 교사상을 제시하거나 지나치게 이론 중심인 경우가 많았다. 교사가 자신에게 맞는 수업 방식을 발견해가면서 현장에 필요한 실천적 지식을 쌓고 성장을 도모하기는 쉽지 않았다. 게다가 행정 업무는 많았고 수업 외에도 익혀야할 것이 많아 늘 시간이 부족했다. 인디스쿨을 세우고 동참한 교사들은 교직 사회 소통을 강조했는데, 소통 중에서도 '성장 기회로서의 소통'이 절실했다.

교사의 성장에 걸림돌이 많다는 점은 사회 문제라고 볼 수 있다. 교사의 배움과 성장은 그 영향이 사회 전체와 연결되어 있기에 특히 중요하다. 가르치는 이가 배우는 이의 여정을 실감하고 기쁨을 누릴 때, 그에게도 학습이 현재 진행형일 때 더 좋은 교육자가 될 수 있음은 당연하다. 교사가 배우고 성장하면서 자기 일을 기쁘게 감당하고, 교사로서 정체성을 확립해 나가는 과정은 언어적, 비언어적으로 학생들에게 전해지게 마련이다. 이 논리는 '교사가 행복해야 아이들이 행복하다'라는 말의 부분집합을 이룬다.

이번 장에서는 2000년 당시 인디스쿨이 생겨날 수밖에 없었던 이유, 그리고 여전히 인디스쿨이 필요한 이유를 이야기해보려 한다. "우리는 닫힌 교실 문을 열고 싶었어요", "사람과 사람이 만나야만 한다고 생각했어요"라는 말에 응축된 배경을 한 번쯤 속 시원하게 말해보고 싶었는데, 좋은 기회를 만났다.

교사는 어디에서 배워야 하나요

2000년 당시 초임교사였던 이들에게 부임 직후 심경을 물으면 막막했다는 증언이 흔하다. 어떤 일에 처음 진입하는 사람에게 레퍼런스란 참으로 절실한 것인데, 교실 문이 닫혀 있으니 옆 반에서 무엇을 하는지조차 알 수 없었다. 당시는 인터넷 태동기로 온라인 자료실이나 공유 문화가 생겨나기 전이었기에 혼자서 모든 내용을 창조하듯 수업을 만들어갈 수밖에 없었다.

이는 어렵고 외로운 일이었다. '내가 잘 하고 있는 건가?' 싶은 불안도 자주 스몄을 것이다. 신규교사 연수에 다녀오기는 했지만 당장 활용할 만한 내용을 얻지는 못했다. 지금처럼 전문적 학습 공동체가 운영되던 시절이 아니었으므로 학급 운영과 수업을 잘해나가는 방법을 찾아내는 것은 오롯이 개인의 몫이었다. 섬세한 온보딩⁹ 프로그램은 꿈도 꾸지 않았고 어디서 수업 자료라도 열람할 수 있기를 바랐지만, 일반적인 학교 안에는 그 기회

---

9 온보딩(Onboarding): 신규 입사자 등 조직에 새로 들어온 구성원이 기술과 지식을 습득하는 과정을 말한다. '조직적 사회화'라고도 부른다. 온보딩 프로그램을 섬세하게 디자인할수록 새로운 사람은 조직에 잘 적응하고 정착할 것이다. 인적자원관리협회(SHRM) 참고 www.shrm.org.

가 전무했다. 배움의 기회는 운이 좋은 소수, 선배를 잘 만난 사람에게만 주어졌다. 2000년도는 교육 자료를 대부분 종이로 만들어 보관하던 시대였는데, 어떤 교사들은 자신의 수업 자료를 박스에 담아두고 마음에 드는 후배에게만 열람하도록 해 주었다는 이야기도 있다.

초임교사를 맞이하는 학교에서는 신규교사 오리엔테이션과 같은 프로그램을 갖추고 있지 않기 때문에 학교 안내를 해 준다거나, 앞으로 어떻게 해야 할지 가르쳐 주는 사람이 없다. 그리고 능력이나 적성에 상관없이 학년과 학급을 배정받고 업무를 배정받는 경우가 많은데, 이는 초임교사로 하여금 학교가 두렵고, 어렵게 느껴지도록 만드는 원인이 되기도 한다.

일반 회사에서는 신입 사원을 채용하면, 회사에 적응하는 훈련을 위한 오리엔테이션 프로그램과 같은 안내하는 문화가 있다. 그러나 아직 교직 사회에는 그런 문화를 가지고 있지 못하다. 물론 신규교사 직무 연수가 발령 예정교사에게 행해지고 있기는 하지만, 그것은 대학 시절 이미 배운 초등학교 교육과정에 대한 내용이나 교양 강좌와 같은 내용을 담고 있기 때문에, 초임교사에게 학교 생활에 대한 실제적 지식을 주지 못하고 있는 실정이다. 학교 생활에 관한 구체적이고 실제적인 안내의 부족은 초임교사가 학교 생활을 시작하는 데 어려움을 느끼게 하는 원인이 되기도 한다.[10]

---

10 제정선. (2004). "초등학교 초임교사의 교직 문화 적응 과정". 진주교대 교육대학원.

2000년대 교사들이 얼마나 막막해하고 어려움을 겪었는지에 관한 기록은 인디스쿨 게시판 밖, 다시 말해 누구나 열람할 수 있는 곳에도 충분히 많다. 많은 논문, 기사, 칼럼이 초임교사의 어려움과 성장 문제를 다루고 있다. 교수법과 수업에 관한 지식을 교대에서 배워 알고 있다고 해도, 새 학년에 반드시 해야 하는 일이나, 양육자[11] 상담 시 어떤 노하우가 있는지 등 알아야 할 것이 너무나 많았지만 '내가 무엇을 모르고 있는지' 조차 알기 어려운 구조 속에서 맨땅에 헤딩은 계속되었다. 제정선 논문에는 이런 증언도 나온다.

> "사실 저는 새 학년의 처음에 아이들과 함께 무엇을 해야 하는지 하나도 아는 게 없었어요. 옆 반에서는 무엇을 하는지 닫고 있는 창문 때문에 알 수도 없었고요. 알면 따라 해 보기라도 했을 텐데 말이죠."

수업과 학급 운영을 잘하는 듯 보이는 동료에게 노하우를 물어도 겸양의 거절이 돌아올 때가 많았다. 교사 상호 간 가벼운 피드백이나 제안도 드문 일이었다. 애정을 담은 조언조차 꺼리며 간섭하지 않는 문화가 교직 사회의 특성이라는 분석도 있다. 인디스쿨 초창기, 정기 모임에 나갔던 일을 계기로 운영진에 합류한 YOUN은 결혼과 육아로 인해 퇴직했다가 13년이 지난 후 교직에 복귀한 인물로 돌아온 학교에서 첫 발령 때보다 더한 배움

---

11 공교육 영역에서는 일반적으로 '학부모'라는 표현을 더 많이 쓰지만 이 책에서는 조금 어색하더라도 '학부모' 대신 '양육자'라는 표현을 채택하기로 했다. 모든 어린이가 소위 '정상 가족과 함께 살고 있지 않고, 조손 가정, 한부모 가정 등 다양한 가족이 존재하는 만큼 '학부모' 아닌 '양육자'라고 표현하기로 한다.

의 갈증을 느꼈다고 한다. 경력 단절 동안 무척 열망했던 교직이기에 더욱 열정이 샘솟았는지 모른다.

그래서 수업을 재미있게 하는 듯한 동료를 보면 다가가 칭찬하고 수업 이야기를 공유해줄 수 있는지 물었다. 안타깝게도 동료들은 "별거 아닌데…."라고 하면서 지식 나누기를 주저하는 일이 다반사였다. 당시에는 자기 수업 내용과 자료를 공유하기 부끄러워하는 사람이 많았다. 닫힌 교실문, 공유와 소통의 부재는 그 시절 교직에 갓 진입한, 재진입한 이들에게 '내 문제'였고, 이러한 맥락에서 인디스쿨에 동참하기 시작한 이들의 공감대는 어쩌면 당연한 일이었다.

교사들이 고립되어 학교 일을 개인적으로 헤쳐나가고 서로 간섭하지 않는 현상의 원인을 교사의 성향에서 찾는 말들이 있다. 이 주장은 선뜻 동의하기 어렵다. 교직에는 겸손한 사람이 많아서 자기 자료를 잘 공유하지 않는다는 말 역시 경험상 이해되는 측면이 있지만 다소 낭만적인 해석이다. 현장에는 각양각색의 교사가 존재하는 데다가 일반화하기에 전체 초등교사 숫자는 지나치게 많다. 교사들의 고립과 불간섭주의는 사람 성향에 기인하는 직군 특성이라기보다는 학교 공간 구조에서 비롯된 조직 문화에 가깝다. 학교가 생긴 이래 교사는 교실이라는 독립된 공간에서 혼자 학생들을 가르쳐왔다. 서로 수업을 참관하고 협력하는 일이 부자연스러울 수밖에 없는 구조다. 특히 초등학교의 물리적 공간은 오랜 시간에 걸쳐 각 교실을 담당 교사의 허락 없이 들어갈 수 없는 사유지로 만들고, 수업이 비공개로 이루어지도록 이끌며, 서로 간섭하지 않는 불문율을 만들어왔다. 공간이 만든 조직 문화라는 해석이 '20만 교사 유사 성향설'보다는 설득적이다.

협력이 부자연스러운 교직 문화는 서로의 성장을 돕지 못하고, 특히 새로 진입하는 교사의 배움에 막막함과 외로움을 안긴다는 문제가 있다. 이와 더불어 교사 각자가 일생에 걸쳐 고군분투하고, 혼자 실천하고, 자기만의 지식을 발전시킨 후에, 교직을 떠날 때 그들이 쌓은 지식도 증발하는 사회적 손실을 야기하기도 한다. 일평생에 걸쳐 형성한 교사의 실천적 지식은 함께 일하는 동료와 뒤를 이을 교사에게 영감과 자양분이 되고 특히 시행착오를 줄여줄 귀한 것이지만 이는 공유되지 못했다. 그래서 신임교사는 선배교사가 그러했듯 또 처음부터 시작해야 했다. 홀로, 외롭게 말이다.[12]

교사들이 교실 문을 닫고 서로 연결되지 않는다는 사실은 더 좋은 수업을 할 가능성을 차단하고, 신규교사의 적응을 더디게 하며, 교사가 외로이 소진되게 하고, 교직에 소속감을 느끼기 어렵게 만들어 교사가 전문성 쌓는 일을 방해한다. 인간은 타인 존재에 의하여 성장하지 않나. 교사의 일에 몰입하고 교사 정체성을 세워가는 것은 동료와의 상호작용 속에서 깊어지게 마련인데 나의 일을 타인에 비추어보고, 나의 일에 관하여 대화하고, 누군가를 레퍼런스로 삼을 기회가 부족하니 '교사로서의 나는 누구이고 어디로 가야 하는지' 세워가기 어려워진다. 교실 문은 닫혀 있는 반면 구령대 위의 관리자, 회의를 소집하는 부장을 바라볼 기회는 많아 교사 성장의 상이 승진 일변도로 흐르기 쉬웠다. 교원능력개발평가, 승진제도와 모범교사상이 견인하는 대로 흘러가는 일 외에 다른 성장 방식을 모색하기 어려웠다. '닫

12 서경혜. (2010). "교사공동체의 실천적 지식". 한국교원교육연구 27(1).

힌 교실 문을 열자'를 외치고, 인디스쿨을 '사람과 사람이 만나는 곳'으로 가꾸어간 초창기 구성원들은 우리가 만나야만 성장하고, 정체성을 세워갈 수 있다는 사실을 깊게 감각하고 있었던 것 같다.

학교라는 조직

인디스쿨 같은 커뮤니티를 만들 것 없이 개별 학교 단위에서 지금의 전문적 학습 공동체나 동학년 협의체와 유사한 모임을 구성해 서로의 수업 자료와 현장의 지식을 나눌 수는 없었을까? 안타깝게도 당시 학교는 수업을 공유하며 협력하자고 제안하기 힘든 환경이었다. 수업 공유에 관한 아이디어뿐만 아니라 학교에서 일하며 발생하는 건의 사항을 소위 '윗분들'에게 꺼내놓기란 쉽지 않은 일이었다. 학교에는 거스르지 못하는 교무부장, 업무부장 선배와 교감, 교장까지 "쩌렁쩌렁한 수직적 관계"가 존재했다. 운이 좋은 소수에게만 수업과 학급 경영에 관해 배울 기회가 주어지는 것과 동일한 원리로, 문제의식을 공감하고 대화 나눌만한 동료 또한 랜덤하게 주어졌다. 행운처럼 느껴지는 동료 선후배, 관리자를 만나는 경우도 더러 있었지만, 대부분은 꽝을 뽑았다. 요즘 같은 동학년 협의 문화나 혁신학교의 민주적 소통문화 같은 건 꿈도 꿀 수 없었다. 조직문화와 동료의 문제가 여전히 많은 학교에 존재하지만 당대는 상황이 더욱 척박했다.

학교문화는 보수적이다. 학교는 교육부나 시·도 지원청에서 지침이 내려오면 그 매뉴얼에 따라 교육활동을 하는 것이 대부분이며, 학교를 중심으로 또 동학년을 중심으로 교육부나 시·도 지원청에서 내려온 지침을 큰 틀에서 논의한 후에 통일해서 업무에 적용한다. 초임교사가 새로운 시도를 해보고자 하더라도, 학교의 통일문화가 이를 가로막고 있기 때문에 초임교사가 스스로 새로운 시도를 결정하기는 쉽지 않다. 따라서 관리자와 동료교사는 신규교사에게 무난함, 평범함을 요구한다.[13]

사려 깊은 조언까지는 받지 못하더라도 어디 가서 신규교사 성토회라도 하면 속이 시원할 텐데 그런 일도 쉽지 않았다. 특별시, 주요 광역시를 제외하고는 각 학교에 '나 홀로 신규 발령'이 나는 경우도 많았기에 '입사 동기'가 없는 교사가 많았다. 한 지역 전체 발령 인원 자체가 적기 때문이다.

지금도 인구가 적은 지역의 관사에서 외롭게 지내는 젊은 교사들이 더러 있다. 인디스쿨이 없던 시절에도 의지를 가지고 교대 시절 인맥을 활용해 또래 교사를 만나거나, PC통신 등으로 연결을 도모해볼 수도 있었으나 자연스럽고 손쉽게 만날 수 있는 네트워크를 갖기는 힘들었다. 아는 교사, 아는 학교가 우리 학교뿐인 새내기 교사는 우리 학교의 사정이 전국의 다른 학교 사정과 별반 다르지 않다고 생각하기 십상이었다. '학교란 원래 이런 곳이구나' 하면서 순응하는 일이 일반적이었다. 학교 내 좋은 소통 문화를

---

13 전선숙. (2020). "초등학교 초임교사가 학교에서 맺는 인간관계에 대한 어려움과 그 해결전략에 관한 사례연구". 한국교육논총.

꿈꾸기에는 상상력을 발휘할 재료가 부족했다.

> "임용고시를 친 사람들 중에서 혼자 S시에 발령을 받았어요. 고향이라 그리고 근무할 학교와 집이 가깝다는 이유로 S시를 지원하게 되었는데, 이렇게 혼자만 친구들과 떨어져 발령을 받게 될 줄은 정말 몰랐어요. 친구들은 원하는 곳에 발령을 받아서 좋겠다고 했지만, 제 마음은 행복함보다는 쓸쓸함이 더 많았던 것 같아요. 마치 무인도에 나 혼자 버려진 것 같다는 느낌을 떨쳐버릴 수 없더군요. — B 교사(2003.3.5. 면담)"[14]

관리자가 환경미화 심사를 엄격하게 하면서 이것저것 요구하는 일도 많았다. 지금은 "이래도 되는 건가요?" 수시로 학교 밖 동료에게 물어볼 수 있는 환경이지만, 당시에는 무언가 심적으로 불편한 일도, 구체적으로 그 일에 어떤 문제가 있는지 의심할 틈새가 좀처럼 주어지지 않았다. 학교 조직에서 호기롭게 불만을 제기하는 사람은 완전히 찍히기 일쑤였다. 답답한 학교 문화로 인해 가만히 교직을 떠날 생각을 하던 사람도 있었다. 불만이 있어서 떠난다기보다는 나 혼자 적응하지 못하고 있다는 감각이 견디기 힘들고 외로워 떠나고 싶었다. **캡틴** 역시 자신이 교직 사회와는 맞지 않는다는 생각에 사직을 고민해본 사람이다. 그는 학교를 떠날 생각을 하던 중에 인디스쿨을 만났고 자신과 닮은 이들을 만나 교직을 지속할 용기를 얻었다. 그는 훗날 인디스쿨 4대 대표가 된다.

---

14   제정선. (2004). "초등학교 초임교사의 교직 문화 적응 과정". 진주교대 교육대학원.

천수관음보살[15] 초등교사

레퍼런스나 협력하는 문화가 충분치 않더라도 열심히 집중해 연구할 환경이 충분하게 주어진다면 혼자서 수업 역량과 교사 정체성을 세워갈 수 있었을지 모른다. 그러나 교사들의 업무 환경은 그렇지 못했다. 근무 시간 중에 수업을 준비할 시간이 확보된 학교는 지금도 흔하지 않다. 수업 연구를 하고 싶다면 퇴근 후에 해야 한다는 사실은 교직 사회의 오래된 숙제다. 발령 전에는 학생과 관계를 잘 맺고 수업만 열심히 하면 되는 줄 알았지만 막상 발령받아 학교에 가 보면 수업을 둘러싼 일도 무척 많거니와 수업은 일부로 느껴질 정도로 자질구레한 업무가 많다. 교사의 일은 크게 교과 지도, 학급 경영, 행정 업무로 나눌 수 있는데, 교과 지도를 먼저 살펴보면 이렇다.

"초등학교는 국민생활에 필요한 기초적인 초등교육을 하는 것을 목적으로 한다." — 초·중등교육법 제38조

초등학교에서는 국어, 수학, 사회, 과학, 음악, 미술, 체육, 실과, 도덕, 영어를 포함한 전 과목 중 대부분을 한 사람이 가르친다. '기초적인 초등교육'을 야트막한 지식 정도로 여기는 사람도 있을 텐데, 초등학생은 학교에서 생각보다 많은 걸 배운다. 민주주의, 경제활동, 법과 도덕, 사회 구성원으로

---

15 이 비유는 단순히 천수 관음의 손이 많은 모습에 교사를 빗대기 위해 차용한 것으로, 인디스쿨은 특정 종교와 무관하다. 종교와 무관하게 교사를 천수관음보살에 빗댄 그림, 설명을 본문에 부연하였다.

서의 역할과 책임을 비롯해 노동의 의미에 관해 심도 있게 배우기도 하고, 음악을 즐기는 감수성을 기르기도 하고, 자기 감정을 어떻게 파악하고 표현할 것인지도 배운다. 초등교사는 어린이가 우리 사회에서 건강한 시민으로 살아갈 자질을 기르도록 돕는다.

초등교사는 초등학생을 대상으로 기초학력과 민주시민으로서의 자질을 형성해주면서 리코더, 장구, 배구 같은 것도 가르친다. 모든 과목을 탁월하게 잘하지는 못해도 교사 대부분이 국어, 영어, 수학부터 음악, 미술, 체육까지 어느 정도의 소양은 지니고 있다. 이렇게 넓은 분야에 걸친 '제너럴리스트generalist'가 되기까지의 과정이 수월하지는 않다. 작자 미상의 '다재다능 교대신神'이라는 밈meme[16]이 괜히 만들진 게 아니다.

교과를 지도하면서 수업 전후에 할 일도 많다. 지도계획서를 만들고, 학생들에게 보여줄 교수자료도 만든다. 흥미와 동기를 더 잘 유발하는 수업을 하고자 애쓰고 연구할수록 수업 준비에 들어가는 시간 에너지는 무한히 늘어난다. 지속가능한 교사의 일을 위해 때로는 절제가 필요하기도 하다.

---

16 '다재다능 교대신(神)'은 작자 미상의 그림으로, 그림 속 신의 손에는 배구공, 팔레트, 피아노, 교육과정 책자, 플로피디스크가 들려 있으며 발 아래에는 축구공이 있다. 이것저것 다 잘하고 잘 가르치는 사람이 되어야 한다는 것에 대한 교육대학교 학생들의 부담과 유머가 담겨 있다. 플로피디스크가 등장하는 것을 보아 상당히 오래 전에 만들어진 이미지로 추정된다. EBS 다큐프라임 <비긴 어게인, 교사의 탄생>에서 교대신을 소개한 바 있다.

수업해나가면서 학생에게 갖가지 개념을 연결지어 주려면 마인드맵도 하나 만들어두면 좋다. 학습지와 평가지 같은 학생용 자료도 제작해야 한다. 요즘의 교육과정 재구성까지 언급하면 일이 너무 많아 보이니 생략하는 것이 좋겠다.

학급 경영은 학급을 가꾸는 일이다. 교실은 수업을 하는 공간이면서 동시에 함께 살아가는 공간이기에 학급 경영도 교과 지도 못지않게 중요하다. 우리 반을 잘 가꾸어야만 효과적인 학습이 일어난다는 점에서 교과 지도를 위한 일이기도 하다. 특히 초등에서는 긍정적 학급 분위기 형성 없이는 학습이 거의 불가능하기에 큰 노력이 필요하다.

학급 경영에는 무형의 에너지가 가장 많이 들지만 교사의 일을 간단하게 적어보면 이렇다. 학급 교육과정을 세우고, 주간/월간 계획을 세우고, 우리 반 규칙을 함께 만들고, 점수 스티커 판이나 쿠폰도 제작해야 한다. 양육자에게 학급을 안내하고 편지 쓰는 일은 처음에도 어렵지만 매해 어렵기 마찬가지다. 학교 행사는 또 어떤가. 현장학습 같은 것은 한 번 가려면 이에 따라오는 업무가 이만저만이 아니고 운동회와 학예회 준비도 만만치 않다. 부채춤이 유행하던 시절에는 도대체 부채춤을 어디서 배워서 어떻게 지도해야 하는 건지 막막해하는 교사가 부지기수였다. 거기에 뒷면 게시판을 비롯해 교실 환경도 잘 꾸며야 했고 급식 지도뿐만 아니라 우유도 빠지지 않고 마시게 해야 했다.

그래도 여기까지는 어린이를 위한 일이고 우리 학급을 잘 가꾸어나가기 위한 일이니 힘들지만 기쁘게 감당할 수도 있다. '행정 업무'라는 학교 생활의 복병을 만나기 전까지는 말이다. 시간을 많이 잡아먹고 까다롭다는 문제도 있지만, '왜 해야 하는지' 설득이 안 될 때가 대부분이라는 점이 가장 힘들다. '왜^{Why}'가 중요한 사람일수록 이 업무는 스트레스와 소진을 야기한다. 신규교사 입장에서는 교과 지도와 학급 경영을 잘 해내면서 익숙지 않은 문서 작성 요령까지 갖추기란 정말 힘들다. 공문은 또 왜 이렇게 많이 내려오는지. 이 모든 일을 어디 마음 편히 물어볼 곳도 없이 해내는 일은 참으로 외로운 고투였고 지금도 많은 곳에서 고투가 진행 중이다. 수업이 가장 중요하고 행정 업무는 후순위라는 당연해 보이는 우선순위가 학교 조직에 자리 잡고 있다면 상황은 조금 나을 것이다. 하지만 안타깝게도, 조직은 우선순위를 잘못 설정하기도 한다.

교사의 일을 교사 커뮤니티 밖에서 설명할 때, 기획자와 프로듀서의 일에 빗대어 설명하기도 한다. 교과서라는 콘텐츠가 모든 교실에 동일하게 주어지기 때문에 어떤 사람은 교사의 일에 기획의 요소가 적을 것이라고 생각할 수 있다. 실제로는 학년의 학습 목표가 같을 뿐 가는 길을 세세하게 지정해둔 것은 아니기에 교사의 기획에 따라 수업은 모든 교실에서 다르게 운영된다. 18만 명의 교사가 있다면 18만 가지 모양의 교실이 있다. 교사는 첫 발령을 받은 후로 계속해서 시도하고 회고하면서 자신에게 맞는 수업 방식을 갖추어 간다. 한 명의 교사가 해마다 다른 학급 상황에 따라 변주하기도 한다. 그렇게 기획자의 특성과 대상자의 특성이 반영된 학급이 운영된다. 인디스쿨 3대 대표 **지니샘**은 교사를 "교육과정의 창조자"라고 일컫기도 했다.

한편, 교사를 학급의 기획자라고만 소개하기에는 어딘지 충분치 않다. 우리 학급에 맞는 기획을 하여 대본을 쓰고 자원을 조달해 메인 출연까지 자기가 하고 상대방과의 소통 또한 중요하다는 점에서 교사는 1인 방송국 운영자 같기도 하다. 매일 정해진 시간 동안 준비가 되었든 그렇지 않든 생방송을 해내야 하는 데다가 '어린이라는 세계'를 대상으로 한다는 점에서 하드코어 1인 방송국이라고 할 수 있겠다. 이 업무를 중심으로 학급 경영과 행정 업무까지 해내는 초등교사는 교대신을 넘어 '천수관음보살'[17]에 가깝다. 색색깔의 공을 현란하게 핸들링하는 저글러에 비유할 수도 있겠다. 상황이 이렇다 보니 혼자서 좋은 교사로 성장해나간다는 것은 거의 불가능에 가깝다.

잘하고 싶은 마음

교사가 성장할 기회가 충분치 못한 학교가 아직도 적지 않고, 수업과 학급 경영은 어렵고, 납득되지 않는 행정 업무가 많으니 교사는 포기하기 좋은 환경에 놓여 있다고도 볼 수 있다. 명예퇴직처럼 '사직으로서의 포기'를 의미한다기보다는 적당히 서류상, 행정적으로 문제 소지가 없을 정도로만 교

---

17 토토7호는 인디카툰 게시판에 '천수관음교사보살'이라는 제목의 그림을 올렸다. '교대신'을 꿈꾸던 교사들은 코로나바이러스를 겪으며 이전보다 더한 격무에 시달렸고 이를 잘 묘사하면서 희화화한 그림을 직접 그렸다. '모둠 활동, 대화, 놀이 없이 사회성 키우기', '음악, 악기, 가창 수업 대체 방안', '상황이 나아지길 기다리는 배구공', '유튜버로 거듭나라' 등의 문구가 돋보인다. 이 게시물에는 "묘하게 위로가 되는 그림입니다.", "눈물이 ㅠㅠ 흑흑 남들 알까요 ㅠㅠ" 같은 댓글이 달렸다.

직 생활을 하는 '타협으로서의 포기' 말이다. 지도안 샘플을 읊듯이 수업하고, 업무 리스트를 쳐내듯이 학생 및 양육자와 소통하고, 천편일률적인 학급을 운영하며, 맞지 않는 옷을 입기로 타협하기 쉬운 환경에 놓여 있다. 열정이 불타오를 때는 타협하는 동료를 흘겨보기도 하지만, 무한 저글링으로 심신이 지칠 때는 '내가 무슨 부귀영화를 누리려고 이렇게 사나?' 싶어지면서 포기하고 타협하는 이를 이해하게 되는 교사가 많을 것이다. 이 포기를 막는 장치가 20년 전에는 마땅치 않았다. 지금도 크게 다르지 않다고 느끼는 교사가 있다면 위로를 전하고 싶다.

어려운 환경에서 더욱 힘들게 만드는 것은 어쩌면 잘하고 싶다는 마음이다. 쉽게 타협하는 사람은 사는 게 그리 어렵지 않다. 언제나 잘하고 싶은 사람이 고통받는다. 아이들에게 좋은 것을 주고 싶기 때문에, 학생의 시간을 더 의미 있는 시간으로 가꾸어 주고 싶기 때문에, 그러기 위해 배우고 싶기 때문에, 교사로서 성장하고 싶기 때문에 그 시절의 교사들이 고통받았고 오늘날도 받고 있다. 그렇게 고통받는 영혼이 교실을, 교직 사회를, 우리나라 교육을 변화시키는 주체이기도 하다.

2000년대 척박한 토양에서 교사들이 배우고 싶었던 것 중 하나는 '아이들을 재미있게 해주는 방법'이었다. 지금이야 지나친 흥미 위주의 수업을 경계해야 한다거나 재미가 가장 중요한 것은 아니라는 자성의 목소리가 나오기도 하지만, 당대에는 초등학교마저 재미없고 지루한, 심지어 무섭기까지 한 학교가 많았기에 지금과는 다른 잣대로 바라봄이 옳을 것이다.

이제는 '3월을 즐겁게 보내야 한다', '학생을 따뜻하게 맞이해야 한다'라는 말이 상식이 되었지만 당시에는 '3월 첫날 웃으면 안 된다', '기선제압이 중요하다', '초장에 잡아야 한다'라는 말이 상식이었다. 역대 운영진 중, 스물넷에 6학년을 맡아 교사의 말을 듣지 않는 한 학생으로 인해 몹시 힘들었던 한 교사가 있다. 그는 동료에게 학생과의 관계와 학급 질서에 관한 고민을 꺼냈을 때 "말을 안 들으면 때리세요"라는 피드백을 받은 경험이 있다. 소통을 잘하는 방법이나 학급 규칙을 잘 세우고 지키도록 하는 노하우를 배우고 싶었는데, 사실 공감과 위로만으로도 충분했을 텐데. 때리라는 말을 들었을 때 그가 얼마나 외로웠을지 상상하노라니 씁쓸해진다.

그런 풍토에서도 '어떻게 하면 우리 반 학생들과 재미있는 한 해를 보낼 수 있을까?' 고민하는 교사들이 있었다. 그런 사람들이 모여 대화하고, 저마다의 것을 나누고, 서로 배우고 이 움직임에 더 많은 사람이 동참하면서 인디스쿨과 우리 초등교육은 전개되었다. 일전에 **지니샘**과 "초장에 잡아야 한다"라는 옛 상식을 주제로 대화한 일이 있는데, 그는 '무서운 교사'와 '단호한 교사'를 나누어 설명했다. 무서운 얼굴로 엄포를 놓아 학급 질서를 지키게 만드는 교사가 아니라 함께 규칙을 만들고 책임감을 느끼도록 하는 '친절하지만 단호한 교사'가 교실을 더 잘 가꿀 수 있다고 그는 말한다. 2000년대 초반 인디스쿨 연수팀으로 시작해 지금의 사람과교육연구소에 이르기까지 **지니샘**은 교사들의 교사로서 수많은 연수를 진행하면서 인간에 대한 지지와 존중을 바탕으로 학급을 운영해 나가야 한다는 점을 열심히 가르쳤다. 그가 말하는 것들이 지금은 당연하게 느껴지지만, 2000년대 초반에 이런 이야기를 하는 사람은 이상한 사람으로 여겨지기도 했다.

초등교사 커뮤니티 인디스쿨이 "행복한 우리 아이들의 웃음소리 가득한 교실", "교사가 행복해야 아이가 행복하다" 같은 기치를 내세울 때, 여기에서 '행복'과 '웃음'은 막연히 좋은 것을 말하는 실체 없는 관념이 아니다. 20년이 지난 지금은 얼핏 좋은 말을 모아서 구성한, 구체적이지 않은 비전처럼 느껴지기도 하지만, 20년 전으로 시간을 돌려 바라보면 이 문장에는 상당히 구체적인 비전, 일종의 결심과 저항 정신이 담겨있다. 학생을 기선 제압할 대상으로 바라보는 시선이 허용되는 흐름을 거슬러, 문자 그대로 교실에 웃음소리가 가득하기를, 어린이가 학교를 재미있는 곳이자 오고 싶은 곳으로 생각할 수 있기를 간절히 바라며 현장을 변화시켜 온 이들의 염원이 담긴 표현이다.

매일이 생방송인 교사에게 필요한 것은, 실천적 지식

학생을 기선 제압의 대상으로 삼고 싶지 않고 그들을 재미있게 해주고 싶지만 무엇을 어떻게 해야 할지는 잘 모르겠을 때, 당대 교사들은 어떻게 했을까? 지금 같으면 인디스쿨 게시판에 물어볼 수 있고, 지식창고에 검색해 볼 수도 있고, 관련 연수를 듣거나 유튜브 영상을 시청할 수도 있고, 동학년 문화가 나쁜 학교가 아니라면야 동료 교사에게 도움을 구할 수도 있겠다.

당대에는 어디로 손을 뻗어야 할지 막막했다. 물론 그때도 교사 연수는 많았지만, 대부분의 연수가 "내일 당장 써먹을 수 있는 지식"을 다루지는 않았다. 그동안 많은 변화가 일어났다고 해도 여전히 교육청 연수라면 실효성을 문제 삼고 싶은 교사가 많을 것이다. 초등교사 연수의 강사가 왜 대학교수여야만 하는지, 왜 이렇게 이론만 설파하는지 문제를 제기하는 말이 여전히 존재하는 가운데, 그때는 이론 연수 편향이 더욱 심했다.

한편, 그 시절 가치 있는 연수도 있었을 것이라는 생각도 든다. 훌륭한 교수가 교육에 관해 깊게 사유할 만한 내용을 강의한 일도 있을 것이다. 사실 이론 연수 자체에는 문제가 없다. 2000년대 초반의 문제는, '대부분의 연수'가 이론 중심이었다는 점에 있다.

교원연수제도 개선을 위한 역대 정부의 노력에도 불구하고, 선행연구들(권이종, 2000; 윤종건, 2001; 김혜숙, 2002; 손병길, 2004; 김이경 외, 2004)은 지속적으로 교원연수제도에 대한 많은 문제점들을 지적하고 있다. 수업 현장의 요구를 반영하지 않아서 실질적으로 도움이 되지 않는 연수 프로그램, 전통적인 강의 전달식 등 연수 방법의 적절성 미흡, 다양한 연수 프로그램의 부족, 과도한 기관중심연수에의 의존, 연수 참여를 활성화하는 유인체제의 부족, 교원의 생애단계에 따라 요구되는 연수과정의 부족, 연수의 활성화를 목적으로 한 정책적 기제의 부족 등을 지적하였다.

이처럼 교원연수제도의 개선을 위한 정부의 노력이 계속되는 가운데 여전히 문제의 개선이 실질적으로 이루어지지 않아 연수에 대한 교원들의 인식은 매우 부정적이다(신현석·안종광, 1998; 김혜숙, 2002; 손병길, 2004). 특히 전문성 향상을 위해서는 전문서적이나 동료 혹은 커뮤니티의 활용이 연수보다 높은 것으로 나타났고, 현장 중심, 사례 중심 연수에 대한 요구가 높은 것으로 나타났다. 그리고 개인중심연수에 대한 선호도가 높은 반면 기관중심연수와 학교중심연수가 취약하다는 의견이 많았다. 또한 교사들의 의견이나 제안이 제대로 반영되지 않아서 실질적인 도움이 되지 못 한다는 의견이 많았다.[18]

교사에게는 매일이 생방송이다. 올해, 이번 학기, 이번 달, 이번 주, 오늘의 계획을 세우고 시간 단위 계획도 세우지만 변수는 언제나 발생하고 학생의 반응도 예측 불허일 때가 많다. 신규로 발령받아 처음 교단에 서면 강렬한 충격을 받는다. '내가 뭐라고 서른 명 가까이 되는 사람 앞에 선생이라는 이름으로 섰나?' 눈앞이 캄캄해지기도 한다. 어린이라서 부담이 덜할 수 있지만, 어린이라서 더 부담스럽기도 하다. 아직 배울 것이 많은 내가 이 학급을 이끌어 갈 수 있을지 막막한데도 수업은 실전이고 학생들이 나의 일거수일투족을 지켜보고 있기에 '선생 코스프레'를 담담하게 해내야만 한다. "60개의 바둑알 같은 눈동자"가 지켜보는 충격 속에서 나름대로 잘 헤쳐나가는 교사가 대부분이지만, 스트레스를 넘어 상처와 트라우마로 남기까지 하는 새 학년을 보내는 교사도 매년 있다. 사람을 대하는 일이란 다 그렇게 무거운 걸까.

경력이 많더라도 새 학년은 매번 힘들다. 많은 사람을 새로 사귀되 깊

---

18 신현석, 전상훈. (2008). "교원연수제도의 문제와 개선에 대한 역사적 신제도주의적 분석". 교육문제연구 32.

게, 잘 사귀어야 하는 새 학년. 학급 특성을 파악해 학급을 세워나가고 내 수업의 결을 조정해야 한다. 이와 같은 상황에서 혼자 헤쳐나가려면 학생들과 잘 지내는 법, 학급 경영, 새 학기를 잘 보내는 법에 관한 연수가 절실하다. 대단한 연수, 만병통치약 같은 해결법을 바라는 게 아니라 새 학기를 세우는 일을 나보다 조금 더 해본 사람, 아니 나와 비슷해도 좋으니 나와 다른 각도에서 학급을 경영해 본 사람이 자기 경험을 나누어주기를 바란다. 과거에는 그런 연수가 좀처럼 없었다. 교육청 주관 연수에 가면 교대 재학 시절 들었던 걸 다시 듣게 되거나 지나치게 이론적인 연수 일색이었다. 현장 경험이 절실한 교사는 내일의 생방송에서 어떻게 하면 좋을지가 급했다. 에릭슨Erik Erikson과 타일러Ralph W. Tyler 이야기는 당장에 도움이 되지 않으니 교육청 연수에 참석한 신규교사는 딴짓을 일삼게 되었다.

교사가 교실에서 학생과 더불어 생활하고 실천하면서 형성한 실천적 지식은, 이론적 지식보다 수준이 낮다고 인식된 세월이 길다. 이 실천적 지식을 교사 전문성으로 바라본 것은 최근 일이다. 이론적 지식을 바탕으로 처한 상황에 맞게, 자기 교사 정체성과 연결 지어 재구성한 생생한 지식은 그것이 지닌 가치만큼 인정받지 못했다. 실전에 유용한 지식임에도 불구하고, 실천지를 깊이가 없고 사소한 것으로 치부하는 풍조가 이론 중심의 연수를 만들었다고 볼 수 있다.[19] 이러한 과거에서 벗어나 우리 교육이 현장 지식을 중요시하도록 인식 변화를 만들어내고, 나아가 현장 중심 연수가 늘어나게

---

19 서경혜. (2010). "교사공동체의 실천적 지식". 한국교원교육연구 27(1).

하는 일에 인디스쿨 교사들이 큰 영향을 끼쳤다는 말에 누구도 이견이 없을 것이다. 변화는 더딘 것 같아도 분명히 일어나고 있다.

도토리

도토리는 인디스쿨의 과거와 현재를 잇는 사람이다. 15년 동안 인디스쿨 운영진으로 활동하며, 인디스쿨의 '옛날 옛적에' 시절을 기억하는 사람이자, 현재를 여전히 함께 하는 사람이기 때문이다. 그는 인디스쿨이라는 조직의 초창기 시절, 마치 대학 동아리 같은 모임의 즐거움을 좋은 선배 교사들과 함께 누리기도 했고, 인디스쿨에서만큼은 교사보다는 한 명의 기획자로서 여러 문화 행사, 연수를 기획했다. 무엇보다 그는 시대라는 바람을 등에 업고 널 뛰는 변화의 파도를 온몸으로 인디스쿨과 함께 맞아온 사람이기도 하다. 짧지 않은 시간동안 온 마음을 들여 함께 해온 인디스쿨이라는 커뮤니티가 가진 의미가 무엇이기에, 그는 이렇게 현재와 과거를 잇는 수고를 마다하지 않고 있을까. 그가 기억하는 과거, 그가 살고 있는 현재의 인디스쿨에 관해 물었다.

발령 당시, 대학 친구들과 서로 다른 지역으로 흩어져서 상황이나 정보 공유가 어려웠어요. 함께 발령받은 동기 선생님들과 고군분투하며 지내고 있었죠. 그러던 어느 날, 학교의 한 선배 선생님께서 인디스쿨이란 곳이 있다고 알려주셨어요. 그때만 해도 인디스쿨이 지금처럼 많이 알려진 곳은 아니었거든요. 좋은 선배 선생님과 함께 근무하고 있었기에 인디스쿨과 연이 닿았던 것 같아요. 처음에는 '서로 교실 문을 여는 곳이구나' 정도로만 알고 지내다가, 인디스쿨 초창기 때 총무를 맡았던 친구와 친해지면서 본격적으로 인디스쿨이란 커뮤니티 안에 들어오게 되었어요.

그 시절의 인디스쿨 총무는 결제 책임자였기에, 연수가 진행되는 모든 곳에 존재했어요. 관심 있는 여러 연수를 참여하면서 총무인 친구와 준비를 돕거나 뒤풀이까지 함께 있다 보니, 어느 순간부터는 연수에 가면 저도 모르게 자연스럽게 간식을 세팅하고 있더라고요. 상상하기 어렵겠지만 그때의 인디스쿨은 딱 동아리 느낌이었거든요. 당시만 해도 교사가 전문적인 강사로 강의를 한다기보다는 '내가 해보니까 이렇더라'를 공유하고 알려주며 실습해보는 분위기였어요. 각자 자신이 갖고 있거나 경험한 무언가를 꺼내어 나누는 것 자체가 중요했던 시기였죠.

인디스쿨의 초창기 운영진 선생님 몇 분과 같은 지역에 근무해서, 종종 지역 오프라인 모임을 했어요. 요즘의 보드게임 연구회 같은 느낌과 비슷했달까요. 같이 보드게임 하면서 놀기도 하고, 아이들과 교실에서 어떻게 할 수 있을지도 이야기하고요. 교사인 우리가 먼저 배우고, 학교에 가서 수업에 적용해 본 뒤, 실천한 것을 다시 나누는 형식으로 모임이 운영되었어요. 가볍게 수다 떨듯 자신의 경험과 노하우를 공유하고, 너나없이 서로의 아이디어를 펼쳐보는 연구 모임이었죠. 지역 모임이라는 편안한 분위기에서 자연스럽게 나눈 선배 선생님들과의 대화가 참 좋았어요. 자신의 교육 철학이 탄탄하신데도, 가르치듯이 아니라 수다 떨듯 자신이 아는 것들을 설명해주셨죠. 열린 마음으로 대화하고, 후배 목소리에 귀 기울이는 선배 선생님들의 모습을 보면서 내가 나중에 선배가 된다면 이런 모습이 되어야겠다고 생각했어요.

제가 인디스쿨에 합류한 초창기 시절에 '보스 캠프'라는 연수를 기획하기도 했어요. 낮에는 보드, 스키를 가르쳐주고, 밤에는 교육 연수를 하는 형태로 기획했죠. 선생님들이 지식도 가져가지만, 좋은 기억도 가져가실 수 있도록 애를 썼던 기억이 나요.

당시만 해도 커뮤니티 정신이 정립되어가는 시기였기 때문에, 오프라인에서의 만남이 좋아야 온라인에서의 활동으로 활발하게 이어질 수 있다고 생각했거든요. 연수에서 끈끈하게 관계를 맺는 게 당시엔 중요한 가치 중 하나였으니까요. 스태프와 참가자 구분이 없었고, 뒤풀이도 연수의 일부였어요. 준비를 하는 운영진도 참가자도 모두 나이대가 젊었고, 대부분 가정이 없던 시기라 그런 분위기가 가능했던 것 같아요. 동아리 모임 같았던 시대가 준 관계의 밀도가 저에게도, 인디스쿨에도 기틀이 되는 중요한 시간이었던 것 같아요. 돌아보니 많은 사람이 오랜 시간을 들여 함께 쌓아 올린 존재네요, 인디스쿨은.

이렇게 성장하기까지 크고 작은 위기가 많았죠. 대표가 갑자기 교체되었던 일도 있고, 서버가 먹통이 되어 운영을 놓고 갑론을박을 펼치기도 했고요. 커뮤니티의 규모는 점점 커지는데, 일을 할 사람은 한정되어 있어서 그 과정에서 소진을 느낀 운영진도 많아서 마음이 아프기도 했어요.

저는 운영진 회의할 때마다 종종 '이게 인디스쿨이다'라고 느낄 때가 있어요. 욕심없이 순수한 열정만 가진 사람들과 함께 활동하고 있다는 것만으로도 자부심이 생겨요. 아주 오래전이지만 한 교육업체와 미팅을 한 적이 있는데, 자신의 조직 산하로 인디스쿨이 들어오면 어떻겠냐고 물어보는 거예요. 바로 장황하게 설명해 드렸죠. 인디스쿨이라는 조직의 운영진은 함께 대화하며 만장일치제로 운영되고 있고, 선생님들이 대가 없이 무보수로 일하는 곳이라고요. 제안하셨던 분께서 이야기를 다 들으시고는 자신이 이해가 부족했다며, 앞으로 인디스쿨을 응원하겠다고 하셨어요. 그 자리에서 인디스쿨을 설명하면서 스스로 '이런 게 인디스쿨이지' 생각했어요.

인디스쿨은 닉네임으로 존재하는 무명 교사들의 빛나는 연대라고 생각해요. 개인적으로 인디스쿨이 만든 변화는 선한 사람들이 있고, 이들이 서로 선한 영향을 주고 받고 있다는 것을 밖으로 보여주는 것 자체라고 생각해요. 그리고 이 무명교사들의 연대가 실제로 현장을 바꿔가고 있고요. 인디스쿨에서 만든 모임이나 연수에 대한 문화가 다른 곳으로도 많이 파급되었다는 게 느껴질 때가 많아요. 이런 무명교사들이 인디스쿨 안에서 새로운 걸 기획하고, 만들면서 그런 변화의 흐름이 만들어지지 않았나 싶어요. 인디스쿨은 일종의 인큐베이터인 거죠.

농담 삼아서 '나는 인디스쿨의 살아있는 화석이다, 인디스쿨의 앵무조개다'라고 말하곤 하는데요. (웃음) 저는 지금도 운영진을 하고 있지만, 더 많은 신규 운영진이 들어왔으면 좋겠어요. 젊은 그룹이 만들어내는 특유의 바이브가 단체의 분위기에 많은 영향을 미친다고 생각해서요. 제가 그런 경험을 해보기도 했었고요. 사람에게 생애 주기가 있듯이 운영진에게도 그런 생애 주기가 있는 것 같아요. 운영진으로서 지금의 위치에서 나의 역할을 인지하고, 그 역할을 해야 한다고 생각하는데요. 사실 작년에 나가야겠다고 생각했다가, 마지막으로 새로 들어오신 신규 운영진에게 모델링 역할을 해야 하지 않나 싶었어요. 그분들이 인디스쿨이라는 조직에 잘 적응할 수 있게 하는 역할이요. 인디스쿨이라는 조직이 가진 수평적인 문화를 전달하고, 모두가 발언권을 갖고 있으니 회의 땐 충분히 말해도 괜찮다는 것도 보여주고요. 신규 운영진분들이 운영진으로서 처음이지, 선생님으로서 처음은 아니니까 조금 더 자신감을 가져도 된다는 메시지를 전하고 싶었던 것 같아요.

요즘은 선배 역할을 많이 고민하게 돼요. 경력도 제법 쌓였고, 이제는 선배보다 후배가 더 많이 보이는 위치에 있더라고요. 내가 선배들에게 많은 도움과 좋은 영향을 받았듯 나도 후배들에게 좋은 선배가 되어주고 싶다는 마음이 들어요. 사람들과 활발하게 교류하는 스타일이 아니었던지라, 새롭게 부여받은 역할과 내 모습이 낯설 때도 있지만, 담담하게 받아들이고, 잘 해내고 있다고 스스로 다독여요. 인디스쿨의 좋은 선생님들로부터 배운 정신, 그리고 인디스쿨 운영진을 하며 갈고 닦은 버티기 내공 덕분에 또 한 걸음 내딛습니다. 인디스쿨이 저를 키웠구나 싶어요.

3장

전
개

오늘 배워
내일 쓰자

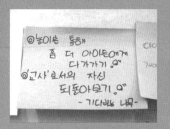

우리 사회의 긍정적 변화는 특출한 아이디어가 개인으로부터 솟아나 세상을 일깨우는 방식으로 일어나기보다, 이미 존재하는 아이디어 중 하나가 다른 것과 연결되는 과정에서 에너지가 생기고 대폭발이 일어나는 결과로 이루어진다는 내용의 글이 있다. 마치 바이러스처럼.[20] 인디스쿨이라는 현상 역시 사람들 사이 이미 존재하던 아이디어였고, 몇 사람의 의지가 아닌 계속해서 이어지는 사람들의 공감과 참여로 에너지를 얻고 대폭발을 겪으며 전개되었다.

닫힌 교실 문을 여는, "찾아오는 사람에 의해 만들어지는 커뮤니티"를 펼치겠다는 발상은 초등교사 사이에 거침없이 퍼져나갔다. 초창기 구성원의 움직임은 많은 사람 안에 이미 존재하던 소통을 향한 갈증, 기꺼이 나눌 준비가 되어있는 마음, 배움과 성장의 욕망을 흔들어 깨웠다. 참여하는 이들이 모두 주인이라는 세팅 위에서 점점 더 많은 사람이 인디스쿨이라는 운동성에 가담하고, 모두가 주인 의식을 가지고 공동체를 가꾼 덕분에 인디스쿨은 '경험이 생생한 교육 자료실'과 '살아있는 경험을 전달하는 학교'이자 국내 최대 초등교사 커뮤니티로서 지금까지 지속할 수 있었다. 인디스쿨은 사람들 안에 이미 살고 있었고, 사람과 사람이 연결되는 과정에서 전개되었다.

---

20 LAB2050 대표 이원재. [2021.01.03]. 이원재 페이스북.

모두가 주인입니다

초창기 구성원들은 초심을 오래도록 잃지 않으며, 모두가 주인인 커뮤니티를 디자인하고, 모두가 주인이 되자고 반복해 외쳤다. 2000년대 게시물을 보면 "찾아오는 사람에 의해 만들어지는 커뮤니티"라는 말에 변주를 주었을 뿐인 표현이 대거 등장한다. "선생님들에 의해 완성되어 가는 캔버스 같은 곳", "만들어진 사이트가 아니라 접속하는 교사들에 의해 만들어지는 커뮤니티" 같은 표현을 곳곳에서 볼 수 있고, 3대 대표 **지니샘**의 게시글 중에는 전 회원이 리더가 되어야 한다는 표현도 등장한다. 그들은 모든 사람이 주인인 커뮤니티를 만들기 위해 자신이 할 수 있는 일은 다 했다.

인디스쿨 중앙운영진, 특히 10년 이상 활동한 운영진 사이에서는 "우리 학교에서는 제가 인디스쿨 운영진이라는 걸 몰라요"라는 말을 심심찮게 들을 수 있는데, 처음 이 말을 듣는 사람은 '오른손이 한 일을 왼손이 모르게 하는 성품을 가졌구나!', '겸손하구나', '내향적인 성격인가?' 싶을 수 있다. 연수 강사로 서면서 인디스쿨 자발적 운영회비를 알리기 위해, 또 대표자로서 겸직 신고를 하기 위해 운영진임을 밝히는 사람들이 있지만, 많은 수는 굳이 먼저 말하지 않고 조용히 일하기를 선택해왔고 지금도 어느 정도 그렇다. 운영진임을 왜 밝히지 않느냐고 요즘 구성원에게 물어보면 선배들이 다 그래왔기에 자연스럽게 그렇게 되더라는 말을 듣게 되기도 한다. 일반 회원과 섞여 활동하면서 운영진임을 전면에 내세우지 않는 행동 패턴의 뿌리를 추적해보니, 그 끝에는 초창기 운영진의 '전략'이 있었다. 초창기 운영진은 겸손하고 내향적인 성격이어서가 아니라, 전략적으로 자기를 감추는 노선을 취했다.

> "인디스쿨 같은 공동체는 주인 의식이 있어야 하거든요. 그러니까 운영자가 따로 있고, 그냥 방문해서 보는 사람들, 이런 개념이 있으면 그게 죽는거라고 생각을 했어요. 그래서 운영자를 최대한 누군지도 모르게 숨겨놓고, 교사들 스스로 자발적으로 자연스럽게 참여하고, 그들 스스로 교통정리 하게 했죠." – 인디스쿨 창립교사 심층면담(2007.6.26)[21]

인디스쿨을 '커뮤니티'로 디자인한 이들은 운영진과 일반 회원의 차이가 없는 커뮤니티로 가꾸기 위해 운영자를 구분하기 어렵게 활동했다. 초창기 운영진은 홈페이지 활성화를 위해 '댓글 부대'를 꾸리기도 했는데, 회원들이 더 기쁘게 커뮤니티의 주인이 될 수 있도록 공작을 펼치면서도 이 댓글 활동이 운영진의 헌신임이 드러나지 않도록 했다. 가령 누군가의 교실놀이 자료에 "운영진으로서 참 감사합니다" 보다는 "선생님, 이거 정말 재미있겠네요. 교실에서 꼭 해봐야겠어요~!"라는 댓글을 달았다. 운영진이 댓글을 열심히 남기는 과정에서 점점 더 많은 사람이 이곳의 주인이 되어갔다. 그러면서 인디스쿨에 살며 소통하고 공유하는 교사들이 점차 늘어나고, 소위 '인디 페인'을 양산했다.

---

21 김도헌. (2008). "교사들의 지식공유 및 전문성 향상을 위한 네트워크 기반 실천공동체의 발달과정: 인디스쿨 사례연구". 진주교육대학교, 교육공학연구 제24권 제2호.

"초등 현장의 특성상 우리는 섬과 같았습니다. PC통신 교사 동호회를 거쳐 인터넷 교사 사이트를 통해 저마다의 공간을 넘어 만나기 시작했습니다. 선생님들의 자료가 나뉘기 시작했습니다. 인디스쿨은 그런 나눔을 바탕으로 교사와 교사의 인간적인 만남과 소통, 교사 커뮤니티로 시작을 했습니다. 처음 몇 년은 '전 회원의 간부화'였습니다. 우리는 인간적인 만남과 소통에 목말랐으니까요. 아직 사랑할 수 있을 때 누군가 다가와 주기를 바랐으니까요. 인터넷에 글 쓰고 자료 올리고 그 자료를 활용한 댓글에 기분 좋아서 밤새 또 자료 만들어 올리고… 오프라인 모임에 가서 그 자료 올린 사람이 누구인지, 내 글에 댓글 달아준 사람이 누구인지 확인하는 즐거움이 있었습니다. 말 그대로 우리는 가족이었습니다."

― 인디스쿨 일상다반사 게시판 게시글 중 〈내가 함께한 잘 알려지지 않은 인디스쿨 이야기〉, **지니샘**(2008.05.28)

인디스쿨 초창기 구성원은 커뮤니티의 발전을 위해 회원의 주인 의식을 함양하는 전략에 앞서 사람을 중요하게 생각하며 일했다. 전 회원이 주인이 되는 공동체로 가꾸기를 원했고 그래야만 지속할 수 있다고 생각했지만, 인디스쿨이라는 프로젝트를 살리고 활성화하기 위한 목적 하나로 댓글 부대를 꾸리고, 사람들을 환대하는 노선을 취한 것은 아니다. 초창기 구성원은 그저 사람을 중요하게 생각했기에 사람을 중요하게 대했다. 닫힌 교실 문을 연다는 건 사람과 사람을 만나게 하는 일이었고, 자료를 얻고 연수를 진행하기 위해 커뮤니티를 만든 게 아니라 '사람과 연결되기 위해' 만든 것이기에 무엇보다 사람을 우선시했다. 인디스쿨Indischool이라는 명칭은 '독립적인Independent'과 '학교School'의 합성어로, 정부나 기업의 지원을 받지 않고 교사들의 자원 활동과 자발적 운영회비로 유지하겠다는 의지가 담겨 있다는 게 정설이지만, "인디스쿨의 '인'은 '사람 인(人)'"이라는 해석도 있다. 이 해석에는 사람을 중요하게 여기는 커뮤니티로 가꾸겠다는 의지가 엿보인다. 2005년 1월 인디스쿨을 취재한 한겨레 기사[22] 〈'인디스쿨' 인기비결? '정보'보다 '사람'이지요〉를 읽어보면 인디스쿨은 사람을 만나는 공간이라는 점이 잘 드러나 있다.

상업성과는 거리가 먼 교사 커뮤니티 사이트인 인디스쿨이 이렇게 '흥행'에 성공할 수 있었던 이유는 뭘까? 많은 교사들은 인디스쿨의 인기 비결은 '정보'가 아니라 '사람'이라고 입을 모은다. 인디스쿨 회원인 서울 송파초등학교 정유진(28) 교사는 "자료를 찾기 위해 사람이 모이는 여느 교육 정보 사이트와는 달리, 인디스쿨은 사람이 모이다 보니 그에 따라 자료가 쌓여 간다는 점에서 큰 차이가 있다"고 설명했다. 서울 태릉초등학교 연진숙(43) 교사는 "예를 들면, 가장 방대한 교육 정보가 쌓여 있다는 에듀넷의 경우, 자료를 찾으러 가긴 하지만 대화를 하러 가지는 않는다"고 말했다. 정부 기관이나 헌신적인 개인 운영자 한 사람이 모아 놓은 자료를 일방적으로 퍼가기만 하는 것이 아니라, 회원들이 누구나 자기가 가진 자료와 생각을 올려 서로 기꺼이 나누는 따스한 공간이라는 점이 인디스쿨의 가장 큰 매력이라는 얘기다.

22 이종규. (2005). 〈'인디스쿨' 인기비결? '정보'보다 '사람'이지요〉. 한겨레신문, 1월 2일.

2000년에 한 사람이 시작한 인디스쿨은 세 사람이 되고, 스물두 사람이 되고, 계속 늘어나 2003년 기준으로 하루에 1만 명 넘게 접속하는 커뮤니티가 되더니 2006년에는 전체 회원 수가 11만 명을 넘게 된다. 2021년 인디스쿨의 회원 수는 약 14만 명인데, 십수 년 전에 이미 지금과 비슷한 덩치가 된 것이다. 무료 서버를 임대하고 활동비는 운영진이 각자 지출하면서 운영하던 작은 커뮤니티는 불과 몇 년 만에 우리나라 초등교사 대부분이 매일 드나드는 포털 같은 곳이 되어버렸다. 물론 이런 일이 아무 노력 없이 자연스럽게 발생하지는 않았다. 아무리 사람들 사이에 연결과 성장을 향한 열망이 바이러스처럼 퍼져 있었다지만, 토대를 만들고 솔선수범하는 노력 없이 왕성한 커뮤니티가 되었을 리 만무하다.

운영진이 매일같이 교육적 단상을 올리고, 회원의 글을 세심하게 읽고, 따뜻한 댓글을 남기고, 지금으로 치면 '인플루언서influencer'라고 볼만한 교사들이 자기 홈페이지에만 올리던 자료를 인디스쿨에도 공유하고, 그렇게 애쓰는 사람 숫자가 늘어나면서 '인디스쿨스러운' 정신과 문화가 퍼져나갔다. 초창기 구성원은 사람을 중요하게 생각하는 마음을 가지고 모든 일을 행하면서 자신들과 같은 마음, 같은 뜻을 가진 동지를 늘려갔다. 그때 그 사람들은 지금처럼 커뮤니티 비즈니스가 유행하는 시대에 살지 않았지만, 커뮤니티를 디자인할 때 무엇이 가장 중요한 요소인지 직감적으로 알고 있었던 것 같다. 그렇게 사람을 중시하고, 사람들에게 정신과 문화를 퍼뜨리면서, 엄청난 회원 수를 한 번도 바란 적 없이 국내 최대의 교사 커뮤니티가 되었다. 인디스쿨스러운 행보를 이어가다 보니 그렇게 되어버렸다.

"혼자 시작할 수는 있을지언정 결국에는 사람과 사람의 관계와 참여하는 힘이 마을을 구축한다." — 〈커뮤니티 디자인〉, 야마자키 료, 안그라픽스

우리 반에서 해보니 이렇습니다

인디스쿨 웹사이트에는 학년별, 과목별 수업 자료 게시판이 세분되어 있고 교육 상담실과 자유게시판 등이 운영된다. 교육과정과 시대적 언어, 중앙운영진과 기술연구팀의 의사결정에 따라 이름과 구성이 조금씩 변화하지만, 기본적으로 교과 자료와 업무 관련 지식을 나누고, 학급 경영이나 학교 조직에서 일어나는 일에 관해 상담하고, 무언가를 홍보하거나 자유로운 대화를 나누는 게시판으로 이루어져 있다. 인디스쿨은 온라인만 놓고 보더라도 분야가 다양해 어떤 모습으로든 자신이 기여하고 싶은 영역에 기여할 수 있다. 누군가는 4학년 사회 과목 자료를 열심히 만들어 공유하면서, 누군가는 상처받고 지친 동료 교사의 이야기를 읽고 위로하는 댓글을 남기면서, 또 다른 누군가는 교실에서 있었던 일을 만화로 그려 올리면서 커뮤니티를 가꾸어 간다. 연애 상담가로 활약할 수도, 퇴근 후 취미생활을 공유할 수도 있다.

인디스쿨은 초등교사가 갖가지 주제로 공감하며 대화할 수 있는 공간이기도, 자기 교실의 어려움과 교사로서 지혜가 필요한 영역에 관해 상담할 수 있는 상담실이기도, 업무에 관해 검색하고 질문할 수 있는 지식 창

고이자 일종의 관계이기도, 현장 중심 지식을 전수받을 수 있는 연수원이기도 한데, 그중 가장 부각되어 있는 것은 역시 자료실이다. 전 과목을 가르치면서도 재미있게 효과적으로 가르치고 싶은 초등교사에게는 다른 어떤 면모보다 '자료실로서의 인디스쿨'이 가장 절실하고, 유용하게 느껴질 수밖에 없다. 인디스쿨 회원이라면 누구나 열정 있는 교사들이 고민하고 창의력을 발휘해 만든 자료를 어떠한 비용 없이 참고하고 활용할 수 있다. 자료를 활용한 후에 후기를 남김으로써 동료 교사에게 다양한 교실의 사례를 전할 수 있고, 나의 지식과 아이디어를 덧대어 재가공·재배포하면 또 다른 이에게 더 많은 선택지와 인사이트를 제공할 수 있다. 자료 사용, 재가공·재배포의 과정에서 자료 출처 표기에 관한 문제가 발생하기도 하지만, 원작자 교사의 이름을 표기하고 어떤 부분을 어떻게 재가공했는지 제대로 밝히자는 캠페인을 꾸준히 진행하고, 회원 스스로 옳지 못한 쓰임을 제보하고 제지하면서 나름의 문화를 만들어가고 있다.

"같은 학년을 계속하시는 분들은 작년에 썼던 자료를 키핑하시고, '인디스쿨에서 작년에 봤던 인체 해부나 모형, 그런 거 있었는데 제가 좀 더 수정해보았습니다', 이런 식으로 올리세요. 제가 봐도 이거 3년 전에 있던 건데, 아, 이게 4년 전에 있던 건데, 이렇게 바뀌었네, 이런 건 많이 보여요. (…) 저도 자료 찾을 때 3년, 4년 전 것도 찾아요. 그럼 진화하고 있다는 걸 느끼죠. 최근 거, 최종본은 정말 원래 아이디어 플러스알파 정도. 쓰기가 제일 편하게 만들어져 있으니까. 그게 좋은 것 같아요." - 김연희 교사

"인디(스쿨)에서 자료를 올리시는 분들은, 원작을 참고하신 분들은 원작의 출처를 잘 밝혀주세요. 어떤 분의 거라고. 그런 문화는 잘 형성되었다고 봐요. 온라인을 통해서 자료를 계속해서 재생산해 나감으로써 그 가치를 높여나가는 게, 그게 최고의 교육자료라고 생각하거든요. 전문가라는 사람이 자료를 업그레이드시키는 게 아니라 대중이 공동생산을 하는 거죠. 원작이 있으면 각자 자기의 스타일과 자기 반 아이들의 특성, 그 학급 분위기에 맞도록 변형된 것들이, 그런 자료들이 계속 쌓여 나가는 거예요. 그게 바로 자료가 발전해 나가는 거죠." – 정진우 교사 [23]

인디스쿨 게시판에는 "늘 받아서 쓰기만 하는 입장이라 죄송합니다"라는 글을 남기는 회원도 있고, 모두에게 추앙받는 황금별^{파워 업로더} 회원도 있지만, 전체 회원을 전체 생애주기 그래프에 올려 조망하면 정보 제공자와 사용자의 구분이 모호해진다. 회원의 많은 수가 소비자이자 생산자, 적어도 조언자가 된다. 〈교사공동체의 실천적 지식〉에서 정진우 교사는 인디스쿨 자료실의 특징을 '대중의 공동생산'이라 특징짓기도 했다.

8대 대표 Mozart는 인디스쿨 자료실이 "자료 공동체"에 가깝다고 말한다. 여기에는 집단 지성을 발휘하여 자료를 공동으로 생산한다는 의미도, 많이 가진 사람들이 조건 없이 나눈다는 의미도 들었다. 이렇게 함께 생산하고 조건 없이 나누는, 공동체로서의 자료실을 운영하게 되기까지는 초창기에 양질의 자료를 성실하게 업로드했던 교사들의 공로가 크다. "인디에

---

23   서경혜. (2010). "교사공동체의 실천적 지식". 한국교원교육연구 27(1).

가면 다 있어!"라는 말이 흔해지도록 한 장본인들 말이다. 교사 개인 홈페이지를 운영하면서, 자료를 자기 홈페이지에만 업로드해도 될 것을 수고롭게 인디스쿨에 함께 올리는 교사들이 있었고, 아예 개인 홈페이지 운영을 그만두면서까지 인디스쿨이라는 우산 안으로 들어온 사람들이 있었다. 그때는 판이 이렇게 커질 줄 알지 못했을 텐데, 그들은 인디스쿨의 가치에 공감하면서 힘을 모아주었다. Mozart는 자기 홈페이지를 접고 더 큰 커뮤니티를 도모했던 교사들이 있었기에 지금과 같은 자료 공동체가 만들어질 수 있었다며 그들에 감사하는 마음을 자주 이야기하고, **대두샘** 또한 **누키**, **아해사랑**, IGIZI 등의 교사가 자기 홈페이지 콘텐츠를 인디스쿨에 함께 모으기 시작한 시점이야말로 본격적으로 인디스쿨이 시작한 때라고 말한다.

인디스쿨 수업 자료가 더욱 귀하고 값진 것은, 자료가 올라올 때 "이렇게 하면 됩니다" 뿐만 아니라, "우리 반에서 해보니 이렇습니다"라는 경험 기록이 함께 올라오는 데 있다. 인디스쿨 내 수업 자료에는 내용이 길든 짧든 해본 사람의 코멘터리가 함께 달린다. 말하자면 인디스쿨 자료실은 '경험 자료실'인데, 여기에는 교사들이 교육 현장에서 학생을 가르치면서 쌓아온 실천적 지식이 담겨있다. 교사들은 자료를 공유할 뿐만 아니라 생생한 경험, 해본 사람만이 아는 내용을 공유한다. 이는 특히 초임 교사로 하여금 경험 부족에서 오는 한계를 뛰어넘을 수 있도록 도와준다. "하다 보면 알게 돼"라는 말로는 만족할 수 없는 이들에게 온갖 경험이 글로 기록된 자료를 열람할 수 있다는 점은 큰 힘이 된다. 인디스쿨에 자료를 공유하는 일은 자료 게시자에게도 도움이 되곤 한다. 댓글에 격려받을 뿐 아니라, 피드백과 다른 교사들의 사례를 전해 들음으로써 확장적 경험을 할 수 있으니 말이다. 〈온라인 교사공동체의 협력적 전문성 개발: 인디스쿨 사례연구〉에서 정진우 교사는 다음과 같이 말한 바 있다.

> "자료를 올리면 선생님들이 수업을 해보고 나서, 우리 반에서 해봤더니 이러이러했습니다. 이러한 문제점이 있어서 이렇게 변형을 해보았습니다. 그렇게 댓글을 올리세요. 그 댓글뿐 아니라 선생님이 해보신 그 자료들을 다 탑재를 해요. 자료가 재가공되는 거죠. 자료가 발전을 해나가는 거예요. 그렇게 재가공된 자료를 보면 제가 배울 게 많아요. 제가 많은 시간과 노력을 들여 만든 자료지만, 이게 다시 확대, 재생산되고 있는 걸 보면 즐거워요. 많이 배워요." ─ 정진우 교사

물론 자료 업로드 덕분에 얻게 되는 격려와 효능감에는 반대급부도 크다. 긍정적 경험만큼의, 어쩌면 그 이상의 고통을 받는 경우도 많다. 웹툰 작가에게 다음 에피소드가 언제 올라오냐고 성화를 부리는 극성 누리꾼처럼 "다음 자료는 언제 올라오나요?"하며 권리를 요구하듯 쪽지를 보내는 회원도 있고, 건전한 학습공동체로서의 피드백이 아닌 신랄한, 가차 없는, 왜 이렇게까지 비난하는 것인지 그 이유를 알 수 없는 댓글을 남기는 사람도 있다. 이 이야기는 뒤에서 조금 더 자세히 다룰 기회가 있을 것이다.

나눔의 일반화

초창기 운영진 YOUN은 운영진에 합류하기 전 플래시 자료로 이름을 날렸다. 그는 교실에서 활용할 수 있는 플래시 콘텐츠를 활발하게 업로드했는데, 반주와 가사에 맞추어 월드컵 응원가를 따라 부를 수 있도록 만든 파일의 반응이 가장 뜨거웠다. 플래시 노래방은 지금의 유튜브 노래방 반주 영상과 비슷한 형태인데, 스마트폰으로 비교적 쉽게 제작할 수 있는 요즘의 영상 콘텐츠와는 달리, 플래시 언어를 좀 아는 사람만이 범접할 수 있는 것이었다. YOUN은 본래 플래시에 쓰이는 컴퓨터 언어를 전혀 몰랐지만, 60시간 연수받은 기술을 가지고 밤새워 자료를 만들어 올렸다. 이 자료는 소위 '대박'을 쳤다. 교실을 조금 더 즐거운 곳으로 가꾸고 싶은 교사에게 이런 자료를 무료로 쓸 수 있다는 사실은 큰 기쁨이었다. YOUN이 만든 플래시 학습자료는 사회 시간이나 음악 시간에 활용되어 수업을 더욱 풍성하게 만들어 주었을 것이다. 당시 누군가 새롭고 재미있는 자료로 수업을 하면, 그 자료는 대부분 인디스쿨에서 나온 것이었다. "그거 어디서 났어?", "인디에 가면 있어"라는 입소문이 퍼져나가며 인디스쿨 접속자가 늘어갔다.

YOUN은 언젠가 봉사하며 살아야겠다는 막연한 꿈이 있었다고 한다. 그러다 인디스쿨에서 자료를 만들어 올리고, 전국의 교실에 도움이 되는 경험을 하면서 이곳에서 지금 하는 일이 바로 봉사가 아닐까 생각했고, 인디스쿨 활동을 자신의 꿈을 이루는 활동으로 바라보게 되었다. 그는 운영진이 된 후로는 자료를 제작해 업로드하는 일보다 홈페이지 문화를 가꾸는 데 힘썼다. 운영진 임기를 다한 후에는 자발적으로 선량한 댓글을 다는, 선플 운동을 펼쳐 나가기도 했다. YOUN은 모두가 시기별로 포지션을 달리 하며 자기만의 방식으로 자기다운 기여를 할 수 있다는 점을 인디스쿨의 최고 장점으로 꼽는다. 지금도 인디스쿨은 지역 인디 구성원이 연수 스태프 활동을 하다가 운영진과 대표가 되기도 하고, 대표 임기 후에 다시 황금별^{파워 업로더}로 돌아가는 식으로, 어디에서든 무엇으로든 기여할 수 있는 구조다.

> "그때(2001년)는 인디스쿨을 처음 만드신 박병건 선생님하고 몇몇 선생님들이 인디스쿨 안에 살고 계셨어요. 그래서 제가 학교 업무를 하면서 모르는 것들, 질문을 올리잖아요? 그러면 바로 답을 해주셨어요. 나이스^{NEIS}전에 있었던 시스템 관련해서 제가 잘 알지 못했는데 학교에는 저를 코치해 줄 사람이 없었어요. 그런데 인디스쿨 덕분에 많은 도움을 받았죠. 제가 너무 많은 도움을 받아서 저도 무언가 도움을 주고 싶었어요. 나눌 수 있는 것이 있으면 나누고 싶었어요. 도움을 주고 싶은데 제가 가진 재주가 별로 없잖아요. 저는 맨땅에 헤딩하거나 새롭게 창조하는 일은 잘 못 하고. 그래서 처음에는 야후에 접속해서 무식하게 'making book'이라고 검색을 했어요. 그러면 수십만 페이지가 떠요. 그걸 하나씩 클릭하다 보면 괜찮은 것들이 몇 개 걸리더라고요. 제가 흥미를 느끼고 괜찮다 싶은 콘텐츠 중에서 우리나라에 아직 들어와 있지 않은 것들을 만들고 나눴어요. 저는 잘하는 게 많지는 않지만 본 것을 만드는 건 잘하는 편 같아요."
> — **우샘**, 2018년 인디스쿨의 날, 황금별 인터뷰에서

운영진은 아니었지만 인디스쿨 안에서 가장 많은 번개 연수[24]를 열었던, 서울 인디에서 활동했고 〈책 만들기〉를 십수 년째 해온 **우샘** 또한 '얼마 전에 배운 것'을 나눈 교사다. 별것 아니라고 생각했던 내용이었지만 자신도 무언가 기여하고 싶다는 생각으로 2004년 무렵부터 공유하기 시작한 **우샘**의 〈책 만들기〉는 어느덧 유서 깊은 교사 모임, 번개 연수가 되었다. 개인 홈페이지를 운영하던 교사들이 자기 것을 아낌없이 나누고, 빛나는 자료가 입소문을 타서 많은 교실을 풍요롭게 하고, 자료에 은혜 입은 사람들이 고마운 마음을 가지고 '나도 뭐라도 나누어야겠다!' 결심하고, 당장 기여할 수 있는 것이 떠오르지 않으면 배우고 익혀서라도 나누는 아름다운 고리가 이어지면서 인디스쿨 자료 게시판은 더 풍성하고 더 큰 자료 공동체가 되어갔다. 코로나 시대 수많은 선생님의 구원자로 활약한 황금별 **까망이고동이**는 인디스쿨 자료실의 공유 현상을 '공공낳'이라고 이름짓기도 했다. 공유가 공유를 낳는다는 뜻을 가진 작명 센스 좋은 줄임말이다.

'공공낳' 정신과 함께 인디스쿨은 초등교사 최고의 자료실로 자리매김했다. 참여한 모든 사람이 함께 만들었기에 가능했던 일이다. 수업 자료가 박스 안에 담겨 개인적으로 전수되던 시절에 공유와 나눔이 일상이 되도록 변화를 만드는 일은 그 성격상 소수의 사람이 할 수 있는 일이 아니다. 인디스쿨 운영진이 가장 잘한 결정은 소수가 이끌어 가야겠다는 생각을 갖지 않

---

24 번개 연수는 연수팀 주관의 공식 연수는 아니지만, 인디스쿨 공식 교사모임 또는 역대 운영진을 중심으로 한 오랜벗 중에 나누고 싶은 지식이 있는 구성원이 회원을 모집해 운영하는 연수이다.

고, 모두가 함께 만들어야겠다는 의지를 발휘한 것이다. 웹서비스팀(현재의 기술연구팀)에서 활동했던 운영진 **기린샘**은 인디스쿨이 지금껏 해왔고, 앞으로도 해나가야 할 일을 "교사가 만드는 작은 **변화**를 공유할 수 있는 분위기를 만드는 것"이라 말한다. 때로는 목소리를 크게 내고, 아젠다를 던져야 할 필요가 있겠지만 인디스쿨은 '교사가 만드는' '작은 변화'를 '공유'할 수 있는 '분위기'를 만들고 판을 까는 사람들이다. 인디스쿨은 지금껏 직접 자료를 제작해 'copyright 인디스쿨' 자료를 업로드하는 방식이 아니라, 더 많은 사람이 자기의 작은 것을 나누는 분위기를 만들어왔다. 그렇게 인디스쿨이 이루어 낸 일은, **우샘**의 말을 빌리자면 "**나눔의 일반화**"이다.

정부나 사기업의 그럴싸한 교육 콘텐츠 플랫폼과 비교하면 인디스쿨 웹사이트에는 덜 매끈한 자료가 올라오는 것이 사실이다. 자료에 활용된 그림이 덜 예쁘거나, 슬라이드와 지도안에 오타가 있을 수도 있다. 그럼에도 인디스쿨은 초등교사에게 유일무이한, 고마운, 유용한 존재로 존속한다. 자금없이, 원대한 청사진 없이 시작한 프로젝트였지만 사람을 중요하게 생각하면서, 사람들의 자발성을 앞세우면서, 비영리적 정체성과 독립 정신을 유지하면서, 완벽한 자료실보다는 경험 자료실로서, 모두가 함께, 커뮤니티답게 운영했기에 사람들에게 '진짜' 유효한, 힘 있는 영향력을 미칠 수 있었다. 어떤 사람들은 교육 콘텐츠 기업과 인디스쿨을 경쟁사 내지는 대체재 개념으로 말하기도 하는데, 인디스쿨은 교육 콘텐츠 플랫폼과 전혀 다른 현상이다. 인디스쿨은 유용한 콘텐츠를 목표로 하지 않으며, 매끈한 콘텐츠를 중앙에서 만들 능력도 없다. 인디 자료실은 자료 공동체로서 초등교사의 자발적 나눔 운동 그 자체인 것이다.

"왜 건축가가 그토록 정성을 다하여 디자인한 공원이 몇 해 못 가 사람들이 찾지 않는 썰렁한 곳으로 변하는 것일까. 이런 경우는 우리도 흔히 찾아볼 수 있다. 수십, 수백억의 국고가 들어간 박람회장이나 스타디움, 공원 같은 공공시설들이 행사가 끝난 뒤에 막대한 유지비만 들어간 채 쓸모없는 건축물로 남겨져 있다는 기사가 심심찮게 흘러나오고 있다. 저자는 공공장소에 사람들이 모여 서로 이야기하고 즐기는 과정에서 새로운 인간관계를 맺게 할 수 없을까라는 자신의 질문을 디자인으로 풀려고 한다. 그 결론이 바로 '커뮤니티 디자인'이다." – 〈커뮤니티 디자인〉, 야마자키 료, 안그라픽스

댓글 먹고 사는 사람들

인디스쿨이라는 커뮤니티에 처음 들어와, 아직 무언가를 나누기에는 자신이 부족한 것 같다고 느끼며, 다른 교사의 자료를 받아 쓰는 포지션에 머물던 교사가 어느 날 용기 내어 게시물을 올린다. "이런 것도 도움이 될까요?" 주저함을 딛고 올린 게시물에 누군가 따뜻한 댓글을 남긴다. 교실에서 유용하게 활용했다는 후기도 달린다. 이 경험은 '나도 누군가에게 도움이 될 수 있구나!' 하는 짜릿함을 안기고 더 많이 도울 수 있는 사람이 되고 싶다는 방향으로 교사들을 견인한다. 인디스쿨 회원 중 많은 수에게는 '내 첫 게시물의 추억'이 있다. 정확히는 '내 첫 게시물에 달린 다른 교사들의 댓글에 관한

추억'이라고 말하는 게 맞겠다. 인디스쿨 파워 업로더 중에는 댓글에 중독(?)되어 열심히 활동하다 보니 황금별에 이르렀다고 말하는 사람이 많다.

인디스쿨 안에서 게시물 파워 업로더는 '황금별'이라 불린다. 이들은 인디 커뮤니티 최고 등급 그룹이다. 사실 인디스쿨에 계급은 없지만, 황금별은 어쩐지 '최고 계급'이라 칭하며 존경을 표하고 싶다. 황금별은 게시물을 작성하고, 파일을 업로드하고, 댓글을 작성하는 등의 활동으로 쌓이는 온라인상 포인트 보유량이 가장 많은 그룹이다. 인디스쿨 홈페이지에서는 보유 포인트에 따라 닉네임 앞에 달린 아이콘의 색깔과 모양이 자동으로 달라진다. 새싹 모양(2021년 현재 연한 회색 별 모양)부터 시작하는 등급 아이콘은 아홉 단계를 거쳐 마지막에 황금색 별이 된다. 황금별 멤버의 숫자가 어마어마하게 많아지면 상위 단계의 무엇이 생겨날 수도 있을 것이다. 가령 안드로메다나 은하계 같은. 2021년 기준으로 92,000포인트 이상이 되면 황금별 자격이 부여되었다. 현재 100여 명의 교사가 황금별 그룹에 속해 있다. 닉네임 앞에 황금색 별이 달린 회원은 교사들이 배우고, 나누고, 성장하며 교실을 풍요롭게 하는 데 특히 많이 기여한 고마운 사람들이다.

인디스쿨 안에서 포인트를 아무리 많이 쌓아도 보상은 전혀 없다. 인디스쿨 포인트를 활용할 방안을 만들자는 안건이 운영 회의에 등장할 때도 있지만, 딱히 황금별 교사에게만 제공할 수 있는 혜택이랄 것이 없고 포인트를 차감하는 등의 관리를 하기도 복잡한 탓에 논의는 없던 일이 되곤 한다. 황금별은 일종의 명예직이다. 2018년 〈인디스쿨의 날〉에는 황금별 교사 중에 일정이 맞고, 얼굴과 실명 공개를 허용하는 몇 사람을 섭외하여 토크

쇼를 진행한 바 있다. 역대 운영진 중 적잖은 수가 황금별이기도 하고, 황금별 중에는 연수 강사나 교사 모임 대표 등의 활동을 하면서 얼굴이 잘 알려진 사람도 있지만, 어디에 사는 누구인지 전혀 알려지지 않은 숨은 고수 또한 많기에 그 '실물 영접'은 상당히 감격스럽고 가치로운 시간이었다.

'저 선생님과 동학년이 되면 좋겠다' 바라는 이가 많은, 랜선 동료들의 워너비 짝꿍 중 한 사람인 **행복한김샘**은 "언제 그렇게 수업 자료를 만드시나요?"라는 질문에, 방학 때 두 단원 정도의 자료를 만들어 놓고 새 학기를 맞이하고, 수업 한 차시에 4~5시간 걸려 자료를 만들며, 새벽에도 작업한다고 답해 모두의 입이 떡 벌어지게 했다. 황금별 **행복한김샘**의 이야기를 듣던 **Mozart**는 "저는 4학년 사회 시간에 **행복한김샘** 자료를 받아 쓰면서, 선생님이 그런 걸 뚝딱 만들어 내는 능력자이신 줄로만 알았지, 새벽에 일어나 작업하고, 개학하기 두 달 전부터 수업 자료를 만들기 시작하실 줄은 정말 몰랐어요. 이야기 들으며 눈물 흘릴 뻔했습니다. 정말 고맙습니다"라고 감사를 표했다. 이 장면을 보면서 참 아름답다고 느꼈고, 감사와 존경의 문화야말로 인디스쿨 공동체를 지속시키는 힘이 아닐까 생각했다. 자발적인 기여와 감사의 문화, 서로를 격려하는 말들이 인디스쿨의 원동력이 된다.

황금별 교사 중에는 자신을 '댓글 먹고 사는 사람'이라 일컫는 이들이 많다. 2018년 황금별 토크에서, **heya**는 자신을 '춤추는 고래'에 비유하면서 "인디에 자료를 한 번 올려봤는데 댓글이 너무 좋고 추천 수도 많아서 기분이 좋은 거예요. 억누르면서 살고는 있지만 제가 관심받는 거 좋아하는 관좋이거든요. (웃음) 댓글의 칭찬들이 제가 자료를 꾸준히 올리는 계기가 되었습니다. 춤추는 고래처럼요"라고 말했고, **큰돌샘**은 "어떨 때는 인디에 접속하면 알림이 100개씩 떠 있고 그래요. 댓글, 쪽지들을 읽어보면서 '음~ 오늘도 뿌듯한 하루구만!' 하면서 답글도 달고 답장도 합니다. (웃음)"라고 말했다. 이러한 마음의 작용과 선순환 구조를 알기에 초창기 운영진도 댓글 공작을 펼쳤던 모양이다. 한편, 과거에 기술연구팀은 선플 운동을 부담스러워했다고 한다. 아침마다 서버가 다운될까 노심초사하던 이들에게는 서버를 최적화하여 비용을 낮추고 안정적인 인디스쿨 운영이 가능하게 하는 일이 가장 중요한 과제였기에, 쏟아지는 댓글이 "서버의 부담만 가중하는" 일처럼 다가오기도 했던 것이다. 영상을 활용해 수업의 동기를 부여하는 교실이 많아지는 현상도 이들에게는 부담이었다. 물론 "전지적 서버 시점"에서 부담스러웠을 뿐, 인디스쿨 전반을 생각할 때 선플을 반대하는 마음이 있었던 것은 아니라고 **리누범**은 말한다.

칭찬을 싫어하는 사람이 있을까 싶고, 선한 영향력을 미칠 기회가 사람들의 자원 활동을 더욱 격려하는 것은 일반적인 현상이지만, 일각에서는 교사에게 있어 격려와 피드백은 더욱 각별한 의미가 있지 않았을까 추측한다. 교육 활동은 물건을 팔거나 작품을 만드는 일과는 다르게 성과를 측정하고 완성했다는 감각을 느끼기 어렵다. 교육 과정을 보기 좋게 재구성해낼 수 있고, 학생들과 함께하는 프로젝트에서 완결과 축하를 경험하기도 하고, 학습과 소통에 어려움을 겪던 학생이 조금씩 변하는 모습을 보면서 감동할 때도 있지만, 내가 세상에 유용한 일을 하고 있는지, 지금 잘 하고 있는 것인지, 구체적으로 무엇을, 어떻게, 얼마나 잘했는지 즉각적인 피드백을 접하는 일은 좀처럼 드물다. 교육 성과는 본래 측정이 어렵다. 내가 가르친 학생이 10년 뒤에 어떻게 되었나 추적 조사를 할 수도 없는 노릇이고, 측정 기준을 무엇으로 둘지도 난감하다.

훗날 사회 경제적 지위가 높은 사람이 되면 잘 가르친 것인가? 마음이 행복한 사람으로만 자라도 좋은 배움을 일으킨 것인가? 성공과 행복은 무엇으로 측정하나? 교원 평가 등급과 성과급이 교사의 잘함을 입증하지도 않는다. 그러다 보니 밑 빠진 독에 물을 붓는 심정으로, 자기를 의심하면서 일할 때가 많다. 특히 교실에서 돌발 변수가 발생할 때, 아무리 애를 써도 변하지 않는 학생을 볼 때, 학교 폭력 사건과 민원에 시달릴 때는 자기 효능감이 바닥으로 떨어지기도 한다. 그렇기에 나의 교육 활동을 공유하면서 동료 교사의 피드백과 따뜻한 격려를 받게 하는 인디스쿨이라는 커뮤니티가 더욱 소중하지는 않았을까 하는 해석에 미친다.

정모의 추억

온라인 커뮤니티에는 '번개'와 '정모'라는 문화가 있다. 2020년대에 사는 사람도 번개 모임이 주는 재미에 공감할 수 있지만, 2000년대는 아무래도 인터넷과 온라인 커뮤니티 초창기이다 보니 인터넷으로 연결된 사람과 실제로 만나는 일의 감격이 대단했다. 온라인 커뮤니티 유행과 함께 인디스쿨 안에서도 갖가지 번개, 정모가 무척 많았다. 게시판을 보면 "아이고 머리야"

하며 숙취를 호소하는 술 번개 후기부터, 눈썰매장 번개 모집 글을 비롯해 상당히 건설적인 공부 모임 후기까지 다양한 모임의 흔적이 남아있다. 지금은 사라진 서귀포 동명백화점 앞에서 만나 간단히 저녁을 먹자는 '서귀포 인디' 번개 모집 글도 있다. 전국에 걸친 지역 인디의 존재가 빛난다.

"단 이틀 만에 17명이 참석하는 번개 모임이 되었습니다. 아주 놀라운 일이었습니다. 정말 사람의 인연이란 알 수가 없는 것입니다. 우연히 서점에서 만난 선생님들과의 약속… 그리고 함께 오신 분들… 물론 개인적으로 연락을 드려서 오신 분들도 계시지만 이렇게 많이 오실 줄은 몰랐습니다. 앞으로 대구 모임의 큰 힘이 되어주실 분들이라 생각합니다. 뒷이야기를 쓰려니 막상 너무 많이 오셔서 이름도 헷갈립니다. 다음부터는 이름을 붙여서 모임을 해야겠습니다. 지난번 20일에 했던 학급 경영 계획 세우기에 저의 개인적인 경험들과 느낀 점들을 담아서 연수를 했습니다. 중간에 자신의 교육관(2분 쓰기)을 발표하는 시간도 가졌습니다. 아마 그런 것들을 입 밖으로 말한 적은 거의 없었을 것인데도 잘 참여해주셔서 너무 좋은 시간이었다고 생각합니다. 대부분이 인디스쿨도 잘 모르시고, 가입은 했는데 승인이 안 나서 글쓰기가 안 되시는 분들이라 얼른 승인이 나면 대구지역 게시판을 떠들썩하게 하리라 봅니다. 앞으로의 모임에도 자주 나오시고, 학교와 교실에서의 고민을 같이 나누고, 생생한 이야기를 함께 했으면 합니다."

— 대구/경북 인디 2005년 2월 26일 번개 후기, **캡틴**

번개를 주최한 사람마다, 각 지역 인디의 성격에 따라 모임의 스타일은 각기 달랐고, 인디스쿨이라는 울타리 안에는 운영진 모임, 지역 인디 모임, 연수 뒤풀이 모임, 싱글 교사 모임, 여행 모임, 보드게임 모임 등 너무나 많은 모임이 있었기에 인디스쿨 오프라인 모임의 특징을 몇 가지로 압축하여 설명하기는 어렵다. 앞서 언급한 것처럼 술만 마시는 모임도, 수다만 떠는 모임도, 미니 연수 같은 시간을 보내는 모임도, 연구 조직처럼 활동하는 모임도 있었다. 서울 인디에서는 즐겁게 대화 나누며 한잔하는 모임을 거듭하다가, 모임 운영 방식을 성찰하면서 '앞으로는 교육 관련 책 내용을 주제로 대화하면서 보다 건설적으로 만들어 갑시다' 하는 결론에 이르렀다가, 지역 인디의 매력인 솔직한 대화가 사라지는 현상이 아쉬워 다시 자연스러운 대화 모임으로 회귀한 기록도 있다. 지나치게 느슨한 시선일지 모르겠으나, 도처의 교사가 인디스쿨이라는 이름으로 모였다면, 술자리만 갖고 헤어졌더라도 그 시간이 결국 교실에 좋은 영향을 미쳤으리라는 생각이다. 꼭 수업 지식을 주고받으며 토론하지 않더라도, 수다 떠는 중에 일어나는 서로를 향한 정서적 지지와 깊어지는 소속감은 결국 교사 전문성에 도움이 되었을 것이다. 실제로 모임의 친밀감은 결국 연수 참석, 공부 모임 가입으로 이어지는 계기가 되었다는 증언이 많다. 교사의 소속감은 교사 몰입을 돕고, 몰입은 성장으로 이어졌다.

푸른숲은 2008년, 제1회 인디스쿨의 날 기고문에서 "인디스쿨을 알고 그곳에서 노력하는 교사라는 것만으로도 우리는 일종의 유대감을 경험한다. 이러한 유대감은 서로에게 긍정의 힘으로 작용하여 일종의 원circle을 이루게 된다. 그 틀 안에서 교사끼리 신뢰를 바탕으로 하여 솔직한 이야기를 할 수 있게 된다"라고 말했다. 그때 그 시절은 더 재미있는 수업을 만들기 위해 더 학생 중심으로 일하는 교사가 손쉽게 이상한 사람으로 여겨지는 시대였기에 인디스쿨 오프라인 모임의 '프로 참석러' 중 많은 수는 "인디스쿨 모임에 나오면 내가 이상한 사람 같지 않아서 좋았다"라고 추억한다. 인디스쿨 정모에서는 지나친 열정을 가진 튀는 사람들이 모여 노력하는 교사의 모임이라는 유대를 형성해 갔다.

4대 대표 **캡틴**은 교직이 자기에게 맞지 않는 것 같아 힘들어하다가 인디스쿨을 알게 되면서 교직을 이어간 사람이다. 인디스쿨은 각 학교에서 모난 돌 같던 이들이 모여, 서로의 외로움을 보듬는 공간이었다. 이곳에서는 학교 조직에서 '벌떡 교사'[25]로 낙인찍힌 사람도, '교사다운 옷차림'이 아니라며 지적받기 일쑤인 사람도, 2월 말 개학에 가까워 학년을 배정하는 일에 불만을 제기하는 교사도, 체육을 사랑하는 여자 교사도, 음악을 사랑하는 남자 교사도 '내가 어디가 이상한가…', '이거 나만 불편한가?' 하는 생각을 할 필요가 없었다. 그러다 보니 자연히 온·오프라인을 넘나들며 많은 대화를 나누게 되고, 더욱 자주 번개를 치게 되었다.

대두샘을 인터뷰하며 들었던 이야기 중에 재미난 일화가 있어 하나 소개해본다. 인디스쿨 초창기 구성원이 얼마나 젊고, 외롭고, 특이하면서 평범한 사람들의 모임이었는지 머릿속에 그림을 그리기에 이만한 재료가

---

25 벌떡 교사는 '소신에 맞지 않는 일을 참지 않고 벌떡 일어나 항의하는 교사'라는 뜻으로 교직에서 통용되는 용어이다.

없을 것 같다. **대두샘**에게 "당시에 그렇게 특이한 사람들이 많았어요?"라고 묻고 이야기를 나누는 중에 듣게 된 복장에 관한 이야기로, 주인공은 **초등참사랑**이다.

> "그때 사람들이 모두 다 나름대로 독특했어요. 다들 인성이 좋고, 개성은 강하고. 이야기하다 보니 **초등참사랑**(a.k.a. **초참**)샘 생각이 나네요. 예전에 저하고 **산마로**샘이 신촌 홍익문고에서 그분을 기다린 적이 있어요. 아마 **작은 불꽃**샘도 있었을 거예요. 그때 **초참**샘이 약간 늦게 왔는데, 흰색 셔츠에 청바지를 입고, 거기에 빨간 넥타이를 하고 왔더라고요. 저하고 **산마로**샘이 **초참**샘에게 물었어요. '너 합창하다 왔냐?' (웃음) 친하니까… 신촌에서 그런 복장을 하고 돌아다니는 사람을 보기가 힘든데, 정장용 셔츠에 청바지를 입고 합창단 같은 빨간 넥타이를 하고서 사람 바글바글한 사이를 걸어오는 거예요. (웃음) **IGIZI**샘도 참 독특한… TV에 나오는 웹툰 작가 같은 그런 느낌이었고…. (웃음)"

이들은 모여서 "우리만의 썰"을 풀고, 즐거운 시간을 보내며 서로를 정서적으로 지지하고, 유대감을 쌓았다. 나아가 자기 지식을 나누고 빡빡한 스터디를 함께 하면서 교육과정도 함께 짜는 공동체를 이루었다.

가장 인디스쿨다운 모임

'지역 인디'는 2003년, 인디스쿨 웹사이트에 지역별 게시판이 개설되면서 처음 생겼다. 지역 인디는 지역에 이미 존재하던 공동체의 온라인화가 아니라, 인디스쿨이라는 가치에 공감하는 온라인 커뮤니티 구성원들이 소속 지역 기반으로 오프라인에서 모인 모임이다. 지역 인디를 중심으로 한 오프라인 모임의 활발한 전개는, 연결되고자 했던 이들의 열망에 따른 자연스러운 결과이기도 했지만, '작은 모임'을 지향하는 창립 멤버들의 의지가 크게 작용한 결과다. **대두샘**은 지역 인디 게시판을 오픈하고 오프라인 모임을 장려하면서, 지역 인디야말로 '가장 인디스쿨다운 모습의 모임'이라고 말했다. 작은 규모이기에 참석하는 한 사람 한 사람의 존재를 더욱 크게 느낄 수 있고, 사람 냄새 나는 공간으로 유지할 수 있다며, 지역 인디 가입을 독려했다. 그는 인디스쿨 가치에 공감하는 이들이 늘어나면서 계속해서 몸집이 불어나는 온라인 커뮤니티의 한계를 지역 인디 오프라인 모임으로 상쇄하고자 했다. 2020년에 만난 그는 현재의 인디스쿨에 감격하고 치하하는 한편, 지역 오프라인 모임이 쇠퇴한 지금의 인디 모습을 안타까운 점으로 꼽았다. "우리도 당근마켓처럼 지역 기반으로 교사들이 연결되도록 도울 수는 없을까요?" 눈을 반짝이며 헤아려보는 그의 모습을 보면서, 20년 전 그가 인디스쿨이라는 아이디어를 냈을 때도 이런 눈빛이었겠구나 싶었다.

2020년 현재 중앙운영진인 **햇반**은 신규교사 시절부터 부산 인디에서 활동했다. 발령 직후 그는 학생, 양육자와의 관계에서 막막함을 느꼈는데, 각종 업무로 바쁜 학교 생활 속에서 주변 교사들에게 도움을 청하거나 교사로서 성장하기 위한 공부를 스스로 하기 어려웠다. 그러다 우연히 인디스쿨에서 주최하는 방학 연수에 참여했다. 부산과는 다소 거리가 있는 용인에서 열리는 연수였지만 용기를 내어 고속버스에 올랐다. 그리고 그 연수를 계기로 부산 인디 모임 참여 제안을 받았다. **햇반**에 의하면 부산 인디의 정식 구성원이 되려면 중앙 인디스쿨의 연수나 모임에 참석한 경험이 있어야 했다. 부산 인디의 핵심 구성원이던 **네모샘**은 함께 하는 교사들이 부산 인디에만 갇히지 않고 다양하고 넓은 성장의 기회를 누리기를 바랐기에 그런 원칙을 세웠다.

전국의 교사가 모여 배우고 나누는 현장에 다녀온 지역 인디 구성원은 자기 지역으로 돌아가 배움의 공동체, 어린이의 눈으로 수업을 바라보는 시각, 수업 비평을 실현하면서 퍼뜨리는 역할을 맡았다. 사람에게 배운 사람이 또 다른 사람에게 지식과 철학을 퍼뜨리고 연쇄반응은 이어졌다. 구글링하면 온갖 정보에 접근할 수 있고, 유튜브에 검색하면 각종 강의도 쉽게 시청할 수 있는 요즘 같은 시대에는 '용인에 연수 다녀온 사람이 배운 걸 나누는 모임'에 참석하는 모습, 방학을 활용해 반드시 중앙 연수에 다녀와야 하는 부산 인디 교사의 모습이 상당히 구식으로 느껴질지 모르겠다. 그때도 혼자서 얼마든지 학습할 수 있었을 텐데 지역 인디 구성원들은 꼭 그렇게 만나서 배우고, 만나서 전했다. 왜 그렇게 했을까? 그들은 사람이 사람에게 배울 때 가장 강렬하게 배움의 동기가 부여되고 진심이 옮는다는 걸 알기에 그런 수고를 감당하지 않았을까 추측해본다. 교사는 사람이 사람과 만나 관계 속에서 이루어지는 배움의 가치를 가장 잘 아는 사람들이 아닌가. 아무리 시대가 변하고 기술이 발달해도 관계가 견인하는 배움의 가치는 퇴색하지 않을 것이다.

인디스쿨, 또 혁신학교와 연결된 교사들 사이에서는 재미있고 의미 있는 연수나 행사에 다녀온 사람에게 지식 보따리를 풀어 놓으라는 말을 편하게 꺼내는 모습을 볼 수 있다. 요청받은 사람은 가르치는 직업에 종사하는 사람인 만큼 비교적 흔쾌히 전달 연수[26]를 준비한다. 관심 있는 사람은 스스로, 알아서 검색해보면 될 것 같은데 자기 경험을 나누고 타인의 경험을 경청하는 일이 흔하다. 이러한 전달 연수, 경험 공유의 문화는 비교사 군에도 널리 퍼지면 참 좋을 만한 문화라고 생각한다.

> "학교에서 할 수 있는 이야기에는 한계가 있잖아요. 부산 인디에 가면 모두 배우러 온 분들이라 그런지 자기 경험을 나누는 것을 꺼리지 않으셨어요. 다들 나이가 있는 분이셨는데, 무척 따뜻하게 제 이야기를 들어주시고, 말할 기회를 많이 주셨어요. 어떤 부분에 관심 있다고 하면 칭찬해 주셨고요. 2주에 한 번씩 꼬박꼬박 만났는데, 격려와 응원이 많이 되었어요. 학교에서 힘들었던 걸 나누고, 울면서 대화 나누면서, 나도 누군가에게 힘이 되는 동료가 되고 싶다고 생각하게 되었어요." - 햇반

---

26 전달 연수는 보고 듣고 배운 바를 사람이 사람에게 전달하는 방식으로, 좋은 것을 보면 함께 알고 시도해보자고 권하는 초등교사 특유의 공유 문화이다. 교육부와 교육청의 주요 정책이나 업무 절차 등을 안내하는 연수에 참여한 교직원이 소속 학교 교직원에게 연수 받은 내용을 전달하는 시간이라는 의미도 있다.

부산 인디 모임에는 신규 입장에서 보면 나이 차가 꽤 나는 선배들이 많았지만 그곳은 자꾸만 찾고 싶은 공동체였다. 그래서 **햇반**은 바쁜 중에도 부산 인디 모임에 참석하기 위한 시간을 꼭 만들었다. 모임을 거듭하며 학교에서 얻기 힘든 조언을 얻고, 선배들과 대화하고 토론하면서 그는 자기 철학을 세워갈 수 있었다.

햇반이 부산 인디에 관해서 했던 말 중에 "말할 기회를 많이 주셨어요"라는 내용도 무척 인상적이다. 과거의 학교는 쩌렁쩌렁한 수직적 구조가 군림하던 곳이 아니던가. 어떤 공동체가 수평적이라는 증거는 발언권의 평등, 회의 석상에서의 대화 지분 분포에서 드러나게 마련이고, 2020년대의 사회에서도 교사 공동체를 비롯한 많은 커뮤니티에서 말을 가장 많이 하는 사람은 연장자인 모습이 흔하다. **네모샘**을 비롯한 부산 인디 구성원들은 그 시절부터 권력을 나누며 동료의 성장을 돕는 리더였던 모양이다.

햇반보다 조금 앞선 시대의 **작은불꽃**도 지역 인디와 운영진을 비롯한 인디스쿨 모임의 특징으로 '수평적인 관계'와 '민주주의'를 꼽은 바 있고, 2006년부터 2021년 현재까지 운영진으로 활동하며, 자신을 '앵무조개'[27]라고 일컫는 **도토리** 역시 '고파김(고양, 파주, 김포) 모임'에서 만난 **대두샘**과 **산마로**와의 모임을 수평적인 관계로 기억한다. 인디스쿨을 만든 **대두샘**, 또 **산마로**는 탄탄한 교육 철학을 갖춘 선배들임에도 불구, 위계와는 거리가 멀었고,

---

27 고생대 캄브리아기 전기 시대부터 그 모습 그대로 지금까지 잘 살아오고 있는 살아있는 화석 중 하나인 생물.

지역의 후배 교사들과 모였을 때 전혀 '꼰대'의 기미 없이, 격의 없는 수다를 떨면서 배움을 일으켜주었다고 한다. **도토리**는 고파김 선배들의 모습을 보면서 '이런 선배가 되어야 하는구나. 자기 생각이 탄탄하더라도 힘 빼고, 목에 힘주지 않고 대화하는 사람이 되어야겠다'라고 다짐했다고 한다. **도토리**가 선배들에 관해 들려준 이야기 중에는 5대 대표 **소금별** 이야기도 있었다.

그는 늘 "너는 뭐가 하고 싶어?" 성실하고 다정하게 묻는 리더였다. **소금별**은 리더가 구성원 위에 군림하며 지시하는 방식을 거스르면서, 수평적이고, 민주적이고, 자발적인 조직으로서의 운영진을 만들고자 힘썼다. 그는 지금도 후대 운영진의 부름에 따라 인디스쿨 감사위원과 선거관리위원으로 기여하면서도 언제나 사려 깊고 겸손한 본을 보여준다. 앵무조개, 아니 **도토리**와 대화를 나눌 때면 자신이 **도토리**보다 한참 젊다는 사실을 까맣게 잊는 후배들이 많을 것이다. 사람들은 **도토리**에게 사려 깊은 조언, 인사이트를 얻으면서도 지도편달 받는 듯한 느낌을 좀처럼 받지 않는데, 그의 이러한 모습은 **소금별** 같은 리더를 보고, 고파김 모임 같은 문화를 경험한 사람이 품어발현할 수 있는 태도였다는 사실을 새삼 깨닫는다.

"그때는 지금처럼 학교 민주주의가 발달한 때가 아니었어요. 인디스쿨은 지금의 혁신학교처럼 평등하게 의사결정을 했어요. 모두가 납득할 수 있을 때까지 회의하고, 그렇게 수평적인 관계에서 일해보는, 굉장히 좋은 환경을 만났던 거죠. 당시에는 그런 문화가 무척 혁신적이었어요. 제 나름의 생각이지만 혁신학교의 성장에 인디스쿨 구성원들의 기여도 크지 않았을

까… (웃음) 지금 혁신학교의 주역이 되는 그 사람들이 신규였을 때의 경험
이 인디스쿨이었던 거예요. 교육청에서 인정해줄지는 모르겠네요. (웃음)"

— 작은불꽃

교사가 교사에게 배우는

요즘은 교사들의 전문적 학습 공동체, 줄여서 '전학공'을 어느 지역에서나
어렵지 않게 볼 수 있다. 공통된 신념을 가지고, 협력적 토대 위에서, 서로를
믿으며, 지속해서 수업을 개선하고자 노력하는 진정한 의미의 학습 공동체
에 도달하지는 못했을지라도, 같은 의지를 가지고, 같은 책을 읽으며 협력
하는 모임이 학교 안팎에 많다. 물론, 전학공이 또 하나의 업무에 불과한 학
교 현장도 있다. 전학공을 위한 전학공이 이루어지는 학교도 많다. 전해 듣
기로는 남양주의 한 학교에서 인디스쿨 운영진과 사무국의 2019년 조직 변
화 실험 보고서 〈그래서 결론이 뭔가요〉[28]를 전학공 대상 도서로 삼아 함께
읽은 바 있다는데, 조직 문화와 의사소통에 관한 케이스 스터디를 해보기로
결정한 담당 교사분에게 지면을 빌어 존경을 보내고 싶다. 그 책에 대단한
내용이 담겨있기 때문이 아니라, 조직 문화를 고민하고 학습하는 시도 자체
에 큰 의미가 있다고 보기 때문이다. 조직 변화를 고민하는 학교가 더 많아
지기를 바란다.

28 인디스쿨 조직경영팀. (2020). 그래서 결론이 뭔가요. 인디스쿨.

'전문적 학습 공동체'와 유사한 개념으로 '교사 학습 공동체', '배움의 공동체'라는 것도 있다. 각 명칭이 강조하는 바가 조금씩 다르지만, 이 개념들에는 공통분모가 훨씬 크다. 세 가지 공동체의 기저에는 수업을 개선하고, 학생으로 하여금 배움의 즐거움을 일깨우고, 창의적인 교육 활동을 전개해나가며, 모두가 함께 성장하는 학교를 만들기 위해 '함께' 헤쳐나가자는 정신이 흐른다. 교사들의 학습 공동체는, 개인의 노력으로는 모두가 함께 성장하는 학교를 만들 수 없다고 전제한다. 그래서 협동적 연대를 중요시한다. 교사 학습 공동체라는 개념과 이에 관한 연구는 인디스쿨이 생겨나기 이전부터 있어왔다. 학교를 변화시키고 싶었던 이들이 사토 마나부의 '배움의 공동체'[29]를 비롯한 학습 공동체에 관해 공부하고 있었고, 교육 영역 얼리 어답터 사이에서 전문적 학습 공동체에 관한 지식이 서서히 퍼지는 중이었다. 그 흐름이 인디스쿨로 스며들어 인디스쿨의 철학을 단단하게 했다. 학습 공동체, 배움의 공동체는 인디스쿨이라는 무브먼트와 함께 서로의 성장에 기여하는 연대 정신을 확산할 수 있었다.

인디스쿨을 14만 명 전체 단위에서 살펴보면, 온라인 교사 공동체다. 인디스쿨은 온라인 학습 공동체로서의 강점과 한계를 갖는다. 14만 명이 모인 온라인 커뮤니티는 온라인이라는 특성 덕분에 학습자 입장에서 자신이 원할 때 언제든 지식을 구할 수 있고, 비동시적 소통이 활발하게 이루어진

---

29 일본의 교육학자인 사토 마나부가 창시한 교육 혁신 철학이자 방법론. 사토 마나부에 따르면, 학교란 학생과 교사, 학부모와 시민이 모두 참여하고 배우며 성장하는 곳이다.

다는 장점이 있다. 온라인 교사 공동체는 행정 조직과 교실주의를 벗어난 학습과 성장이 이루어지게 하는 공간이지만, 구체적인 실천을 함께하면서 비판적으로 고찰하고 함께 개선안을 만들어가는 공동체에는 도달하지 못했다는 평가도 받는다.[30] 한편, 인디스쿨의 부분집합을 이루는 공동체들을 살펴보면 오프라인 만남을 기반으로 치열하게 수업을 고민하고, 구체적인 실천을 함께하면서 고민과 토론을 거쳐 개선안을 만들어가는 모임도 많다. 이들 작은 모임은 실천의 흔적을 기록으로 남겨 온라인상에 공유하면서 자기들 밖의, 전체 온라인 커뮤니티에도 영향을 미친다. 인디스쿨 공식 교사 모임 소속 교사들의 경우, 수업을 연구하면서 더 나은 실천을 목표로 한 콘텐츠를 만들어 지속적으로 자료를 게시하고 연수를 개최해 회원에게 영향을 미친다.

인디스쿨 공식 교사 모임 중에는 '전국초등음악수업연구회'라는 공동체가 있다. 애락과 햇반, 신명나는강명신을 비롯해 수많은 교사가 함께하는 곳인데, 이들은 자주 바뀌는 교육과정과 미디어의 발달 속 점차 힘겨워지는 음악 수업의 한계를 딛고, 학생들이 음악의 즐거움을 알며, 삶을 살아가는 힘을 얻도록 하기 위해 음악 수업을 함께 계획하고, 실천하고, 반성하고, 공부하고, 나눈다. 전국초등음악수업연구회는 2015년 9월, 햇반이 "음악 수업에 어려움을 느끼는 선생님들이 있다면 함께 모여서 고민을 나눠보자"라는 글을 올린 계기로 시작되었다. 함께 배우기만 하는 모임을 지양하고, '실천

---

30   서경혜. (2011). "온라인 교사공동체의 협력적 전문성 개발: 인디스쿨 사례연구". 한국교원연구 28(1).

하여 나눈다'라는 목표를 강력하게 지향한다. 강원, 경기 남부, 광주/전남, 대구/경북, 서울/경기, 인천, 전북, 부산/경남에 걸쳐 지역 모임을 운영하면서, 전체 지부가 1년에 한 번 100페이지 넘는 자료집을 공유한다. 음악 수업을 깊이 있고 흥미롭게 해보고 싶지만 모임에 함께하지 못하는 회원들은 자료를 열람하면서 인사이트를 얻을 수 있다. 이들은 또한 대규모 음악 수업 축제와 소규모 연수를 열어 음악 수업에 어려움을 겪는 교사의 두려움을 낮추어 주고, 음악 수업을 창의적으로 운영하고 싶은 교사들에게 영감을 선사한다. 몇 해 전, 이들의 모임과 연수를 슬쩍 엿본 일이 있는데, 알 수 없는 노래, 정글에서 부르는 듯한 노래를 흥겹게 부르는 모습에 연수생도 아닌데 몸이 들썩들썩했다. 학생들이 다양한 음악을 즐겁게 배우고 익힐 것이 부러워지는 순간이었다.

인디스쿨 교사모임은 지역 기반의 모임과 주제 기반의 모임으로 나뉘는데, 지역 기반 모임이 먼저 시작되었고, 뿌리가 더 깊다. 인디스쿨 교사모임은 초창기부터 교사 학습 공동체와 비슷하게 운영되었다. 초창기 구성원의 모든 모임에는 학습 공동체적 면모가 있었다. 모일 때마다 전학공 같지는 않았다 해도, 연대를 기반으로 서로의 배움과 성장을 돕는 조직이었음은 분명한 사실이다. '1대 중앙운영진'쯤 되는 듯한 사람들을 운영진이라 일컫지 않고 계속해서 '초창기 구성원'이라고 부르는 이유는, 인디스쿨이 시작되던 무렵에는 운영진과 비운영진의 구분이 모호했기 때문이다. 번개, 정모, 공부 모임에 나왔던 사람 중 명백히 운영진이었던 사람도 있지만, 당시에는 운영진이 아니었다가 훗날 운영진에 합류한 사람도 있고, 끝까지 운영진이라는 조직에 이름을 올리지는 않았을지라도 운영진 못지않은 헌신과 모임 참석률을 나타낸 사람도 있었기에, 이들을 뭉뚱그려 '초창기 구성원'이라 일컫는 중이다.

12년간 운영진에 몸담고 은퇴하는 **다람쥐**를 인터뷰하면서, 어떤 이유로 운영진에 들어오게 되었는지 물은 적이 있다. 그는 이렇게 말했다. "인디스쿨 초창기에 지니 형(**지니샘**)을 중심으로 지하 골방에서 몇몇 선배들이 1년 치 교육과정을 계획하던 모임이 생각나네요. 그 모임의 존재를 알게 되고 무척 놀랐어요. 3월이 된 후 무작정 수업에 뛰어드는 게 아니라, 2월에 학년이 배정되고 나면 1년 치 계획을 2주간 모여서 준비하고 함께 고민하면서 새 학기를 시작하는 사람들이 존재했다니. 나도 이 선배들처럼, 이런 멤버로 성장해가고 싶다고 생각했어요." 그는 큰 커뮤니티 운영에 가담해보고 싶다거나 명예욕이 있어서 이곳에 합류한 것이 아니라 함께 수업을 고민하고, 수업을 철저히 준비하는 교사의 존재에 매료되어서 자발적으로 운영진에 합류했다. 더 좋은 교사가 되고 싶어서 운영진을 시작한 것이다. 운영진이라는 조직은 명목상 전문적 학습 공동체가 아니지만, 실제로는 교육과정을 함께 짜고, 이 노하우를 전파하는 등 교사 학습 공동체의 기능을 겸하고 있었다.

다람쥐에게 큰 영향을 미친 **지니샘**은 학년과 학급 배정을 3월 첫날 하던 당대의 일 방식에 상당한 문제의식을 가졌다. 그는 학년을 미리 알아야 방학 동안 관련 책도 읽고, 교육과정을 짜고 수업을 준비할 수 있을 텐데 개학과 동시에 학년을 배정하는 학교를 이해할 수 없었다. 그래서 그는 이 문제를 항의하는 한편, 5~6학년을 자진해 맡았다. 학교에서는 지금도 고학년을 희망하는 사람은 대부분 원하는대로 맡을 수 있다고 한다. **지니샘**은 새 학년을 미리 준비하기 위한 목적과 더불어 누적 경험을 통해 학급을 창의적으로 운영하기 위해 고학년을 여러 차례 자진했다. 그는 교사로서의 책임을 다하기 위해서는 1년에 대한 계획이 있어야 한다고 믿으며 교직의 시간을 보냈고, 인디스쿨의 벗들과 함께 교육과정을 일찌감치 짜는 모습을 보이는 것만으로 후배에게 큰 영향을 미쳤다. '2월에 1년 치 계획을 세우는 교사들이 있었다니!' 놀라던 십수 년 전 **다람쥐**는 훗날 혁신학교에 근무하며 인디스쿨 교육과정재구성 연수를 열게 된다.

당시 운영진은 커뮤니티를 가꾸는 일에 열정을 발휘했을 뿐만 아니라 교사로서도 솔선수범하는 사람들이었다. 인디스쿨 대표를 비롯해 운영진 구성원은 모두 인디스쿨 운영진이기 이전에 좋은 교사, 혹은 좋은 교사가 되고자 노력하는 교사였다. 그런 교사들이 모여 있으면 인디스쿨 운영을 고민하는 자리에서도 수시로 교사로서의 배움과 성찰이 일어났다.

2020년 현재 중앙운영진 **블랙봉**은 "인디스쿨에서 누가 보지 않더라도 열심히 애쓰는 걸 배웠습니다"라고 고백하고, 역대 운영진 **하늘꿈**은 인디스쿨을 "비교대출신으로 교육의 방향성을 잡지 못하고 있을 때 나의 교육철학을 만들어 준 곳"이자 "실천적인 삶을 살아가게 해줄 수 있는 곳"이자 "살아있는 교육 공동체"라고 술회한다. 현재의 운영진은 20년 된, 14만 명의 커뮤니티를 운영하면서 교육적 고민을 나누고 실천하는 일까지 함께하기는 어렵게 되었다. 거대 웹사이트 및 비영리 단체로서 신경 써야 할 일이 너무 많아져 버렸기 때문이다. 운영진 조직을 운영하고 조직 문화를 가꾸는 일도 만만치가 않다. 그래도 여전히 서로에게서 교육 실천, 공유와 나눔, 배움과 성장의 불이 꺼지지 않을 연료를 얻는다. 각자의 지역과 학교에서 애쓰고 연대할 근거를 이곳 인디스쿨에서 얻는다.

오늘 배워 내일 쓰자

반복되는 친선 모임, 지식 공유 문화 위에서 2002년 1월, 인디스쿨 첫 번째 연수가 열렸다. 역사적인 첫 연수는 **아해사랑**의 요술풍선 만들기 연수였다. 참가자는 6명 혹은 7명인데 정확히는 알 수 없다. 2003년 **withchild**의 댓글에는 "그때 아마 7명이 참여했지?"라고 쓰여 있고, **작은불꽃**이 과거 연수를 정리해둔 게시물에는 6명이라고 기록되어 있다. 6명이든 7명이든 중요하지 않지만, 과거의 기록을 찾아 사실에 가깝게 아카이브 하는 일의 지난함을 드러내려고 길게 언급해본다. 이 연수를 시작으로 줄넘기 연수, 플래시 연수, 학급 앨범 연수, 학급 문화 연수, 학급 문집 연수, 책 만들기 연수, 교육 연극 연수, 교실 놀이 연수, 웹 활용 연수 등이 계속해서 열렸다.

  2005년에 처음으로 메이킹 북 연수를 연 후로 2020년 코로나바이러스로 인한 록다운 상태가 되기 전까지 꾸준히 책 만들기 모임을 운영하고 번개 연수를 열어온 **우샘**은 2002년 첫 연수의 참가자였다. **작은불꽃**의 기록을 보면, **우샘**은 그 연수에 따뜻한 차와 간식을 준비해갔다. 지금처럼 연수팀,

간식 당번이 조직적으로 움직이는 시절이 아니었음에도 **우샘** 덕분에 연수생들은 '당 충전'을 해 가며 연수를 들었다. **작은불꽃**이 남겨둔 기록을 읽으며, 언젠가 **우샘**이 말했던 "나도 무언가 기여하고 싶다." "나는 무엇으로 나누지?" 하는 고민이 귓가에 들리는 것만 같았다.

[인디자체연수1탄 확정판] 요술풍선 만들기

강사 : 멋쟁이 **아해사랑** 선생님

강의실 : 서울교대 빈 강의실(무단침입인가? 수위 아저씨한테 쫓겨 나는 거 아녀?)

일시 : 희망찬 2002년 1월 8일 화요일

시간 : 늦은 6시

모이는 곳 : 서울교대 후문 앞(**아해사랑**님 오시면 바로 강의실 직행~!)

금지된 말 : 1. 밥먹고 합시다.(연수 끝나고 먹읍시다.)

2. 술 먹고 헤어집시다.(깨끗하게 헤어집시다.)

3. 조금만 더 기다리다 가죠?(쨀~ 없습니다.)

4. 한 번 더 합니다.(캠코더로 찍어가세요. 똑같은 내용 두 번은 NO~)

강사료 지급문제 : 참가자는 **아해사랑**님께 콜라 한 병씩 드린다.

참가자분 댓글로 신청해 주세요.

아하~ 준비물, 제꺼 다 드릴게요. 20분이나 오시겠어요. ^.^;

연락처 : **작은불꽃** 019-XXXX-XXXX

인디스쿨 연수는 온라인 경험 자료실이 오프라인으로 확장된 현상이라고 볼 수 있다. 온라인에서만 자료와 지식을 나누던 사람들이 직접 만나 노하우를 전수하기 시작했다. 지금이야 연수팀 휘하에서 나름의 규모와 체계를 갖춘 강의식 연수가 진행되지만, 초창기 연수는 '내가 해보니 이렇더라'를 나누는 자리에 가까웠다고 한다. 연수 강사로 활동한 이력, 대단한 강의력이 없어도 초등교사로서 '해보니 이렇더라'를 나눌 수 있다면 연수 강사로 설 자격이 충분했다. 현장 중심 연수의 필요성을 절감했던 이들이 모인 인디스쿨이었기에 그런 경험 공유회적 연수를 지향했고, '해본 사람의 해본 이야기'로 충분하다는 점은 교실에 진심인 교사라면 누구든 강사로 세울 수 있다는 확장 가능성으로 작용했다. 인디스쿨 연수에서는 강사는 강사, 수강생은 수강생으로 고정되어 있지 않았다. 돌아가면서 강사가 되었다가 수강생이 되었다가 유동적으로 서로를 가르치고 서로에게 배웠다.

그때 그 시절 인디스쿨 연수의 모토는 '오늘 배워 내일 쓰자'였는데, 이렇게 실용을 강조하는 분위기에는 "기존 연수에 대한 반발, 기존 교육행정기관에 대한 반발심"이 내재해 있었다. 교육청 등에서 진행하는 이론 중심, 공급자 중심 연수와 달리 '현장의 교사들이 필요로 하는', '지금 필요한' 연수를 '해본 사람의 입으로' 전달했다. 당사자들이 만드는 연수의 힘은 위대했다. 인디스쿨 연수는 지금까지도 교사 연수 필수 이수 시간에 인정되지 않고, 연수 비용을 지원받을 수도 없지만, 교사들은 자발적으로 주말을 반납하면서 인디 연수에 나타났다. 현장에서 필요한 지식을 동료 교사에게 배우기 위해 지난 20년간 점수도 인정되지 않는 인디스쿨 연수를 수강한 사람이 헤아릴 수 없이 많다. 그 가운데 교사들은 자발적으로 이루어지는 비형식적 학습경험을 얻었다. 창립 멤버들은 이 점을 인디스쿨 연수의 흥행 요인으로 꼽는다.[31] 인디스쿨 연수를 듣는다고 해서 서류상 도움 되는 건 하나도 없지만, 아니 그 덕분에 인디스쿨 연수는 '진짜 자발적인' 수강생과 함께 자발적이고 비형식적인 연수로 운영된다.

무엇이든 기획할 수 있었기에 특이한 형태의 연수도 많았다. 방학 때 모여 낮에는 보드와 스키를 타고 밤에는 연수를 듣는 '보(드)스(키) 캠프'가 대표적이다. 이 연수는 카드를 열두 개씩 가지고 다니며 각종 적립과 할인을 다 챙겼던 최고의 총무 **디토**와 운영진 **도토리**가 함께 기획했다. 보드와 스키는 그들이 직접 가르치기로 하고, 밤에 수업과 학급 경영 등에 관해 연수할 사람을 섭외했다. 현재의 시각에서는 보드와 스키만 배우고 밤에는 노는 모임을 기획했어도 괜찮지 않았을까 싶기도 한데, 당시 기획자들의 마음은 그렇지 않았다. 전국 각지에서 교사들이 모인 기회를 최대한으로 활용하고 싶었다.

그들은 '보스 캠프'라는 이름을 내세우고는 학급 관련한 연수를 함께 진행하는 하이브리드 연수를 만들었다. 당시에는 모두가 젊은 교사로서 주머니 사정이 넉넉지 않았고, 지금처럼 인디스쿨 운영비를 행사 예산으로 사용할 수도 없었기에 비용을 낮추는 일이 기획자의 중요한 과제였다. 그래서

---

31   김도헌. (2008). "교사들의 지식공유 및 전문성 향상을 위한 네트워크 기반 실천공동체의 발달과정: 인디스쿨 사례연구". 교육공학연구24(2).

수소문해 리프트권을 할인받기도 했다. 인디스쿨 연수는 지금까지도 비현실적인 값을 책정할 때가 많다. 이는 오랜 세월 "문턱이 높으면 안 된다" 되뇌며 연수를 만들다 보니 인디스쿨 안에 아로새겨진 일종의 정신이다.

당시 인디스쿨은 "이런 거 해보면 어떨까?" 하는 아이디어가 나오면 빠른 실행을 해볼 만한 토양이었다. 지금처럼 인디스쿨만의 공간도 없고, 자발적 운영회비도 없던 시절이지만 인디스쿨의 공유하는 문화가 추진력이 돼 주었다. 모두에게 배울 점이 있다는 사실에 공감하면서, '일단 해 보는' 정신을 공유하던 초창기 구성원들은 온갖 연수를 만들어냈다.

작은불꽃은 인디스쿨 안에서 평범한 교사 연수의 르네상스를 연 인물인데, 그는 조금이라도 재주가 있어 보이는 교사를 만나면 가만 놓아두지 않았다. 그의 레이더망에 뭐라도 걸리면 "연수합시다!" 강요 비슷한 섭외를 당했다. 오프라인 모임에서 알게 된 누군가가 줄넘기를 잘한다고 하면, 그 사람이 신규 발령받은 사람임에도 불구하고 "줄넘기 연수합시다!" 하고서 수강생 모집 공고를 올렸다. '그래도 N년 차는 되어야 연수를 할 수 있지 않을까?' 같은 제한을 두지 않았다. **지니샘**도 **작은불꽃**이 어느 날 연수 강사로 세우면서 인디스쿨에 발을 깊숙이 담그게 되었다고 한다. 두 사람은 대진에서 열린 인디스쿨 숙박 연수에서 만났는데, 참여자였던 **지니샘**이 교실에서 뇌체조와 요가를 한다는 말을 들은 **작은불꽃**은 '참신한데!' 싶어서 바로 "연수해줄 수 있어요?" 묻고, 교실 요가 연수를 기획했단다.

"그때 우리 다 신규였어요. **디토, 요술콩** 전부 다요. 예외는 **대두샘, 산마로** 선생님 정도인데 그분들이 89학번이고요. 93학번이 신규였을 때니까 89학번 선배라고 해 봐야 경력이 그리 많지 않은, 10년 미만이었을 때죠. 그래도 서로 배울 게 많았어요. 너무 배울 게 많고, 존경하게 되고. 방학 때는 2박 3일씩 연수 가서 놀고, 공부하면서 전국을 돌아다녔어요. 열정을 불태웠죠. 신규였을 때 내가 무언가를 기획하고, 결정하고, 추진하고, 열렬한 호응을 받을 수 있다는 것도 인디의 굉장한 매력이었어요. (학교 조직 전체를 생각하면) 어린 나이에." – **작은불꽃**

2007년 9월 인디스쿨 운영진 회의록을 보면, 여름MT 회고 란에 "연수 계획을 철저히 세워서 충실히 운영하자. 연수 당일날 수정하는 혼동을 주지 말자"라는 말과 함께 "실패를 하더라도 실험적으로 연수를 해보자"라는 문장이 쓰여있다. 초창기 운영진은 시작할 때부터 수년 동안 실험 정신을 계속 유지했던 모양이다.

지향하는 가치를 실현할 기회를 포착하는 대로 빠르게 실행하고, 대세를 따르기보다는 실험적인 연수를 개척해나가던 그들의 정신은 시행착오를 낳기도 했지만, 당시 연수 강사 포지션에는 어울리지 않던 '젊고 평범한 교사'를 강사로 세우며, 더 다양한 연수를 만드는 일은 '지금 필요한 연수'가 가능해지도록 했고, 동료 교사의 열렬한 호응을 받았다. 나아가 연수 전체의 변화에도 영향을 미쳤다. 교사들에게 필요한 연수, 대안으로서의 연수를 만들어 선보임으로써 교사 교육 기관에 변화의 바람을 일으켰다. 2000년대 연수의 약진을 상상하노라면, 힘들지만 재미있어서 24시간 인디스쿨 생각만 했다는 **작은불꽃**의 말이 무슨 말인지 알 것 같다.

모든 출발이 그러하듯이 인디스쿨의 출발 또한 안개처럼 흐렸다. 공 교사는 제안자였고 연수를 기획 총괄하는 실무를 맡았으니 처음부터 총대를 멘셈이었다. 인디스쿨에 과연 미래는 있을까? 첫 출발은 최소한의 신뢰 구축을 위한 시범 연수로부터 시작해야 할 것 같았다. 참가비 집행도 없이 '요술 풍선 만들기 연수'를 기획했다. 온라인에서는 많은 조회 수를 기록했지만 실제로 열 명도 안 되는 교사들만이 참석했다. 하지만 그 작은 만남에서 공 교사는 좌절이 아니라 용기를 얻었다. (…)

인디스쿨 최초의 본격 성공작이라고 할 수 있었던 것은 '교실 놀이 연수'였다. 공인된 단체가 아닌 개인 자격으로 연수 장소를 섭외한다는 것은 쉬운 일이 아니었다. 광명 지역 아람단 연합의 도움을 받아 강당을 빌렸지만 얼마나 많은 인원이 실제로 참가할 수 있을지는 미지수였다. (…)

'무모해 보이는' 승부수를 던졌다. 오랜 동료인 임대진 교사는 그의 추진 방식이 '모험'이라 생각하기도 했다. (…)

"교육청이나 단체에서 공문으로 오라고 한 것도 아닌데, 순전히 아이들을 가르치기 위해 200여 명의 교사들이 참가한 것을 보고 깜짝 놀랐다"며 당시의 감회를 전한다.

— 2003년 2월 〈우리교육〉 교사의 삶 엿보기 "힘겨운 걸음마를 하는 마음으로",
경기 광명 하일초등학교 공창수 교사

교사에게 필요한 배움이 일어나기까지

지금이야 서울시 마포구 서교동에 위치한 인디스쿨 공간이 있고, 힐링캠프 같은 숙박 연수를 진행할 때는 오송에 위치한 사람과교육연구소를 대관할 수 있고, 공익적인 성격을 갖는 공간, 코워킹스페이스가 많아졌기에 운영진이 연수 장소 섭외로 골머리를 앓을 일은 없다. 코로나바이러스 이후 줌Zoom을 비롯한 화상 연수가 흔해지기도 했고 말이다. 한편, 2000년대에는 연수 장소 섭외야말로 연수 주제 선정과 강사 선정보다도 에너지가 많이 드는 일이었다. 2003년 2월, 〈우리 교육〉 인터뷰에서도 200명의 교사가 교실 놀이 연수에 참여하도록 하기 위해 애썼던 운영진의 흔적을 볼 수 있고, 2006년 게시물 중에는 교육부에 '연수를 위한 공간을 지원해줄 수 있는지' 문의를 넣었다는 기록도 있다. 그때 그 기록물을 그대로 옮겨본다.

안녕하십니까?

초등교사 커뮤니티 인디스쿨(http://www.indischool.com)의 운영자 교사 공창수입니다. 저의 제안은 배움의 땀을 흘리는 선생님들에게 공부할 곳을 마련해달라는 것입니다.

초등교사 커뮤니티 인디스쿨은 인터넷을 매개로 교사 상호 간 유용한 교육 자료와 정보를 기꺼이 서로 나누고, 아이들을 위해 함께 고민하고 서로 돕는 문화를 만들어나가는 초등교사 자생적 온/오프라인 커뮤니티입니다.

2000년 12월 시작으로 현재 초등교사 회원 수 107,543명 입니다. 온라인 상호작용뿐만 아니라 오프라인에서 교사 교육 연수를 실시하고 있습니다.

현직 선생님들이 직접 기획, 운영하고, 현직 선생님들께서 '열정적'으로 참여하는 인디스쿨 오프라인 연수, 모임. 아무런 연수 학점도 없고, 출장을 달수도 없고, 연수비를 지원받지도 않지만, 〈아이들을 사랑하는 마음〉 하나로 토요일 퇴근한 뒤 자비를 내고, 자기 시간을 내어 기꺼이 배움의 열정을 불태우고 있습니다. 인디스쿨 교사 연수는 전국에서 한 달에 6~7회가 열리고 있습니다. 하지만, 연수 때마다 연수 장소를 찾는 데 어려움을 겪습니다. 인디스쿨의 초등교사 모두는 우리 현장의 선생님입니다. 대한민국의 공무원이고, 공교육 발전을 위해 내 정성을 다 모아 함께 나눔과 배움을 실천하고 있습니다. 그러나 우리는 교육기관의 장소 대관 협조받기가 너무나 어렵습니다. 교수학습도움센터, 연수원에 시도해보았지만, 결국 대답은 No였습니다. 토요일은 교육기관에서 근무를 하지 않는다고 하여 대관을 꺼립니다. 그럼 우리가 언제 배우겠습니까? 스스로 배우겠다고 열심히 하겠다고 토요일 자기 시간을 내어 〈아이들을 희망〉이라 생각하고 자발적으로 배우려고 하는데.. 공교육이 공교육의 발전을 위하는 선생님들을 외면한다면.. 너무나 섭섭한 일입니다.

이 글을 읽으시는 교육관계자분께 말씀드리고 싶습니다. 배움의 땀을 흘리고자 하는 선생님들에게 공부할 곳을 주십시오.

작은불꽃이 교육부에 보낸 이메일 기록을 읽고 나니, 인디스쿨 역대 운영진이 인디 공간에 갖는 애착에 이전보다 많이 공감하게 된다. 연수를 한 번 열 때마다 협조해줄 기관을 찾아 나서야 했고, 운영 회의도 운영진의 회비를 걷어 토즈TOZ 같은 스터디카페를 전전해야 했다. 거점이 없으니 모일 때마다 연수 재료와 간식 등을 바리바리 싸서 보따리장수처럼 움직였다. 자가용 있는 교사가 발견되면 운영진에게 사랑받았고, 운영진 가입을 끊임없이 권유받기도 했다. 숙박 연수 한번 마치면 누군가의 트렁크에 온갖 연수 짐이 한 달 동안 실려 있는 일도 많았다. 지금 같은 토양에서라면 서울시NPO지원센터, 서울 성수동 헤이그라운드, 대방동 스페이스살림처럼 인디스쿨과 속한 분야가 조금 다르더라도 세상을 이롭게 하고자 한다는 지향을 공유하는 공간들에 읍소해보겠지만, 당대 운영진의 선택지에는 교육부 산하 연수원, 교수학습도움센터 정도가 있었고 이곳들은 토요일 근무자가 없다는 이유로 요청을 거절했다. 이해 못 할 일은 아니지만 맥 빠지는 응답이었다. 이러한 맥락에서 운영진은 "우리 공간", "우리 연수원"을 깊게 염원했다.

온라인이나 오프라인이나 인디만의 공간이 없다는 점은 참으로 고단한 일이었다. 서버 임대, 연수 공간 대관 사용이라는 "셋방살이"는 불안과 피곤을 자아냈다. 그래도 그 와중에 도움의 손길이 없지는 않았다. 교육부 출연기관 한국교육학술정보원KERIS에서 일정 기간 동안 연수 장소를 지원해주었고, 훗날 한국글쓰기교육연구회, 도서출판 길벗어린이 등에도 간간히 도움을 받았다. 감사한 일이다.

연수를 기획하고 운영하는 이들은 연수 주제를 선정하고 강사 섭외하는 일부터 시작해 온갖 일을 도맡아 하면서 공간 섭외에도 애를 먹어야 했다. 힘들었지만, 그들은 동료 교사와 전국의 교실에 실질적인 도움을 미치고 있다는 기쁨으로, 자발적으로 일했다. 연수팀이 충분한 인원으로 꾸려지기 전까지는 게시판을 통해 연수 자원활동가를 그때그때 모집했다. 모집 글을 보면 "무보수 봉사활동"이라는 문구가 돋보인다. 줄 수 있는 게 없다고 명시한 모집 글에 달린 댓글에서 역대 운영진 **요술콩, 늘품, 디토** 등의 닉네임을 볼 수 있다. 당시 운영진은 팀 구분 없이 운영진이 연수팀을, 연수팀이 교사 모임을, 교사 모임 구성원이 게시판 지기를 겸하는 일이 부지기수였다. 일인 다역이다. 훗날 운영진이 되지 않았을지라도 연수팀의 수고에 도움의 손길을 보탠 교사는 무척 많을 것이다. 그 사람들 덕분에 인디스쿨 연수는 많은 교사에게 유익한 경험을, 낮은 문턱으로, 멈추지 않고 제공할 수 있었다.

연수를 열면 자연히 연수 강사에게 스포트라이트가 향하고, 연수를 마치면 강사를 칭찬하면서 그에게 감사하는 말이 쏟아지지만 사실 연수는 여러 사람이 함께 만드는 하나의 작품이기에 숨은 수고에도 큰 박수를 보내야 마땅하다. 연수 하나를 만들기 위해서는 보이지 않는 손의 보이지 않는 시간이 많이 필요하다. 요즘 초등교육 밖 영역에서는 연기자, 진행자, 강사처럼 일선에 드러나는 사람 외에도 연출자, 기획자를 주목해 보면서 그들의 수고와 역량을 오히려 더 높게 사는 분위기가 많아지고 있다. 그런데 유독 교사 연수 분야에서는 강사 1인에게만 이목이 쏠리는 분위기가 있는 듯하다. 2009년 인디스쿨 게시물을 보면 연수를 공지하면서 연수 강사 이름과 함께 누가 지원팀인지 수고하는 사람 이름을 함께 명시해두었는데, 같은 문제의식에서 기인했는지는 모르겠지만 반가운 마음이 든다. 학교 안팎에서 진행하는 수많은 연수에서, 강사 외에도 수고한 사람들의 크레딧이 성의있게 달리면 좋을 것이다.

교사도 행복한 교실

인디스쿨 연수 초창기에는 그 시절 모토대로 '오늘 배워 내일 쓸 수 있는' 종류의 연수가 대부분이었다. 요술 풍선 만들기, 교실 놀이, 책 만들기, 팀 데몬스트레이션(협력 놀이) 등은 실제로 오늘 배워 내일 실행할 수 있는 것들이었다. 글로 배우는 것과는 달리 연수에서 다른 교사들과 직접 해보고, 어려운 기술은 도움을 받아 충분히 익힌 후에 교실로 향하니 돌발 변수가 발생하지 않는다면야 성공적으로 수업에 녹여낼 수 있었다.

"당장 써먹을 수 있는 기술"은 언제나 필요한 것이기에 이러한 연수를 유지하면서, 인디스쿨 연수는 다른 방향으로도 확장해갔다. 일종의 다각화였다. 앞서 언급한 보스 캠프처럼 취미생활과 교실을 위한 연수가 어우러진 하이브리드형 연수도 있었고, 굵직한 주제를 가지고 다양한 연수를 묶는 시리즈 연수도 만들어졌다.

학생들의 글을 책으로 만드는 문집 만들기 연수는 1년짜리 코스로 진행되었다. 학급 문집을 만드는 데 왜 1년간의 시리즈 연수가 필요했을까? 제작의 기술만을 전수한다면, 형식적인 학급 문집 제작을 목표로 한다면 두세 시간이면 충분했을지 모르겠다. 하지만 인디스쿨에서 연수를 만드는 사람들은 각자의 교육 철학을 점검하고, 학급을 어떻게 운영할 것인지 고민하는 시간부터 갖도록 기획했다. 그런 과정을 생략하면 맥락과 짜임새랄 것이 없는 단순 모음집을 만들뿐이라고 생각했고, 그래서 문집을 만들러 갔다가 나의 학급 경영을 점검하게 된 교사들이 생겼다. '진짜 문집'을 만들기 위해 사유로부터 출발하면서 글쓰기, 그림 그리기, 워드 프로세서, 인쇄까지 1년에 걸쳐 연수를 열었다. **지니샘**은 문집 디자인을 위해 '시와 나무, 음악과 여행을 좋아하는 사람들을 위한 잡지', 〈PAPER〉를 레퍼런스 삼았다. 무려 한글과컴퓨터의 한글 프로그램으로 매거진 페이퍼의 판면 배열과 얼추 비슷한 디자인을 만들어냈고, 이를 동료 교사에게 전수했다.

다양한 연수를 시도하고 연수 주제를 확장하면서 인디스쿨을 둘러싼 사람들은 학급 경영 방법, 수업과 연관된 기술을 현장 밀착형으로 배우는 일 외에도 교실에 필요한 것들이 많다는 것을 알게 되었다. 그래서 학생과의 대화법, 관계를 잘 맺는 법에 관한 연수도 열고, 집단 상담 프로그램과 유사한, 교사의 마음을 돌보는 연수까지 나아갔다. 교사가 자기 자신과의 관계를 잘 맺고 올바로 서야지만 학생에게 좋은 것을 줄 수 있다는 생각에서였다. 교사가 교실 속 권위자로서 강력하게 통제하거나, 온갖 기술을 끗발나게 선보이면서 교실을 진두지휘하는 것이 아니라, 학생과 인간관계를 잘 맺고, 자신이 변함으로써 학생의 변화를 끌어내도록 돕고 싶었다.

교사 커뮤니티 밖에서는 꺼내기 조심스러운 말이지만, '교사가 행복해야 아이들이 행복하다'라는 말은 변하지 않는 사실이다. 이 말은 어떤 이들의 오해처럼 교사가 안락하고 편안하게 지내야 한다는 뜻이 아니다. 이 문장에는 교사가 자기 정체성을 바르게 세우고, 교실에서 무너진 자기를 일으키고, 지난 상처를 극복하고, 학생과의 관계를 지나치게 두려워하지 않으며, 건강하게 관계 맺는 상태에 있을 때 학생도 보다 좋은 교육을 누릴 수 있다는 당연한 원리가 담겨있다. 이것은 수업 기술보다 중요한 일이다. 한 교사는 학급 운영을 잘하는 다른 교사의 연수를 들으며 '나는 저렇게 못 하는데…' 자괴감만 쌓이던 경험이 있다고 하는데, 인디스쿨은 이런 마음이 드는 교사들까지 모두 다 행복한 교실을 꾸릴 수 있도록 돕고자 했다.

학교에는 자괴감과 열등감에 시달리는 교사부터 학교폭력 사건, 양육자 민원, 학생과의 갈등, 관리자의 폭언 등으로 인해 마음이 바닥에 떨어진 교사가 정말 많다. 교실 들어가기가 두려워 매일 무언가를 극복해야 하는 밤에 쉬이 잠들지 못하는 교사도 많다. 교육청의 교사 상담실 같은 것도 없던 시절, 인디스쿨은 상처 받은 교사를 보듬고, 자기 마음을 천천히 지켜보도록 돕고, '이제 나는 안 되겠다' 포기하기 일보 직전이던 교사를 일으켜 세우고, 학생과의 갈등을 차분히 분석할 틀을 제공하고, 나의 변화로부터 학생의 변화를 이끌도록 돕는 연수를 열었다.

현장의 연구자들이 자신을 위하고 동료를 위하며 만든, 교사의 마음을 살피고 학생을 이해하도록 돕는 연수는 '힐링캠프'에 집대성되어 있다. 이 연수는 인디스쿨 겨울 고정 숙박 연수로, 2013년에 시작해 2020년까지 여덟 해 동안 운영했다. 힐링캠프는 **지니샘**과 **갈갈이샘**이 주 강사이고, 여기서 교사들은 마음을 치유하고 성찰하는 시간을 갖는다. 2020년 힐링캠프 시즌 8 이후 코로나바이러스가 전 세계에 퍼지면서 인디스쿨 힐링캠프는 잠정 중단한 상태인데, 이 멈춤을 8대 대표 Mozart는 특히 가슴 아파했다. 그는 최소 모집 인원 미달로 인해 '이번 해는 힐링캠프를 취소하는 게 좋지 않겠냐는 의견이 나올 때마다 운영비 지출이 예상을 크게 웃돌더라도 강행하자고 했던 사람이다. 록다운으로 2021년 힐링캠프를 열지 못하면서, 예전에 Mozart가 "그럼 힘들어하는 선생님들은 어떻게 해요…" 탄식하던 일이 생각났다. 만나서 서로 안아주고, 괜찮다고, 수고했다고 등을 토닥여주지 못하고 2박 3일간 집중해 각자의 상처와 자기만의 특성, 학급의 특징을 돌아보지 못하는 것은 참으로 안타까운 일이다. 힐링캠프에 가본 사람이라면 이 애석함을 이해할 것이다. 그래도 **지니샘**과 **갈갈이샘**이 곳곳에서 교사들의 마음을 돌보는 연수를 비대면·대면으로 지속하고 있다는 사실이 그나마 위안을 준다.

얼굴과 닉네임을 넘나드는 커뮤니티

인디스쿨 구성원이 늘 그렇게 열심히 배우고, 서로의 상처를 보듬고, 평범한 교사의 귀한 실천적 지식을 동료들에게 선보이면서 고결한 시간만 보낸 것은 아니다. 인디스쿨에 모인 청춘들은 연수장에 모여 열심히 학습하고, 연수가 끝나면 음주와 가무까지 열심히 즐겼다. '참사랑땀' 반의 학급 운영과 '글똥누기'를 모르는 사람이 없을 정도로 초등 교실에 큰 영향력을 미친 **초등참사랑**은 잘 노는, 정말 잘 노는 연수 강사였다. **작은불꽃**의 증언에 의하면, 진지하고 점잖은 모습은 그의 낮 모습에 불과하다고 한다. 그가 등장하는 숙박 연수는 학급 경영의 지혜를 빌리는 시간이기도 했지만, 밤을 새워 젊음을 불태우는 MT이기도 했다. 연수 기획자 **작은불꽃**은 연수생에게 숙박 연수의 불타는 추억을 선사하기 위해 전략적으로 **초등참사랑**의 연수를 배치하기도 했다. **초등참사랑**이 오면 분위기가 사니까 말이다. 그렇게 밤을 새우며 놀아본 연수생은 "와. 인디스쿨이 재미있는 곳이구나!" 감격하면서 인디스쿨을 향한 애정을 더 키웠다고 한다.

그러다 인디스쿨 운영진과 연수 강사들은 밤에 술을 너무 많이 마시면 안 되겠다는 성찰을 하기도 했다. 지역 인디 모임들이 시행과 성찰과 개선을 거친 것처럼 말이다. 이들은 회의의 결과로 술 마시기를 절제하는 연수를 운영하면서 이 방식을 '금욕 연수'라고 일컬었다. 금욕 연수라고 해서 전혀 놀지 않은 것은 아니고, 2박 3일 일정의 대부분을 열심히 연수받는 데 할애하고 마지막 날 밤에만 적당량의 술을 마셨다. 학급을 위해 자발적으로 모여 공부하고, 또 신나게 노는 숙박 연수가 당대에 섬처럼 지내던, 열정 있는 교사들에게 어느 정도의 인기가 있었을지 짐작하기란 어렵지 않다.

여러모로 뜨거운 연수에 다녀간 회원은 인디스쿨을 더 좋아하게 되었고, 오프라인의 열기는 온라인의 훈기로 이어졌다. 함께 모였던 이들은 온라인에서 관계와 대화를 이어가는 방식으로, 함께 모이지 못했던 이들은 현장의 이야기를 글과 사진으로 전해 들으며 다음에는 꼭 오프라인 연수, 모임에 참석하겠다는 의지를 다졌다. 인디스쿨은 온라인과 오프라인의 상호 보완적 하모니가 끝내주는 공간이었다. 온라인 커뮤니티의 관계적 한계를 오프라인 연수와 모임이 보완하고, 오프라인에서 일어나는 일을 온라인이 확대 재생산하면서 커뮤니티성에 있어 보완과 확장을 이루었을 뿐 아니라,

교육 현장의 실천적 지식을 전파하는 일에도 온·오프라인 결합의 좋은 예를 보여주었다.

연수는 온라인 자료실의 한계를 메워냈다. 온라인상에서 쉽게 공유되기 어려운 교실의 온갖 노하우, 암묵지를 교실 밖으로 콸콸 쏟아내는 일을 했다. 가령 '교실 놀이' 같은 것을 글과 사진으로만 전수받기는 쉬운 일이 아니고, 교실 놀이 노하우를 글만으로 완벽하게 설명하는 일도 어려운 일이었는데, 오프라인 연수를 진행하면 이 문제를 해결할 수 있었다. 온라인 자료실 역시 오프라인의 보완재가 되었다. 강사의 기존 자료를 토대로 연수를 예습할 수 있었고, 궁금했던 점을 정리해두었다가 현장에서 질문하고, 다시 온라인 자료실의 텍스트를 보면서 복습할 수 있었다. 인디스쿨 연수에는 플립드 러닝[32]의 요소 일부가 포함되어 있었다고 볼 수 있다.

자료를 꾸준히 올리는 사람의 닉네임이 회원 사이에서 알려지고, 해당 교사의 연수를 듣고 싶다는 사람들이 나타나고, "선생님! 저도 그거 배우고 싶어요" 요청하는 사람이 생기고, 연수 기획자는 "이 연수를 하면 들으실 분?", "어떤 연수를 원하시나요?" 설문하면서 온라인 커뮤니티 속 수요를 기획에 반영했다. 인디스쿨 연수는 실험적이면서 철저히 수요자 중심의 연수로서 크라우드 펀딩과 비슷한 형태로 이루어지기도 했다는 점, 그리고 수강

---

32 플립드러닝 또는 역진행 수업(逆進行 授業, flipped learning), 플립러닝, 역전(逆轉)학습, 거꾸로 교실은 혼합형 학습의 한 형태로 정보기술을 활용해 수업에서 학습을 극대화할 수 있도록 강의보다는 학생과의 상호작용에 수업시간을 더 할애할 수 있는 교수학습 방식을 말한다. 위키백과. (2021). "역진행 수업". https://ko.wikipedia.org/wiki/역진행수업.

생이 곧 강사 발굴 대상 그룹이라는 점이 무척 특이하게 느껴진다.

인디스쿨은 그 태생이 온라인이기에, 인디스쿨 구성원은 이곳이 온라인 커뮤니티가 아니느냐는 말을 들으면 그렇다고 말할 것이다. 한편, 인디스쿨에서는 오프라인이 중요하지 않으냐고, 연수와 모임이야말로 핵심이 아니겠느냐고 물으면 그렇다고 말할 것이다. 20주년 기념 기록물을 준비하면서 인디스쿨은 온라인 커뮤니티일까, 오프라인 중심의 온라인 커뮤니티일까, 플랫폼은 아닌가, 인디스쿨의 주요 역할은 자료실인가, 연수원인가, 커뮤니티인가와 같이 꼴을 규정지어보려는 시도를 많이 했다. 그런데 그간의 역사를 읽고, 과거부터 현재까지의 사람들을 대면, 비대면으로 만나고, 커뮤니티에 관해 공부하면서 골머리 앓는 세월을 거치고 나니 하나로 치우쳐 규정할 수 없는 것이 바로 인디스쿨이라는 결론에 이르게 되었다. 인디스쿨은 온라인 태생의, 매일 온라인에서 끈끈하게 관계 맺는 동시에 오프라인이 대단히 중요한, 오프라인으로부터 온라인으로 흐르고, 온라인에서 확장되는 성격의, 플랫폼으로서의 면모를 비롯해 연수원과 자료실 기능을 갖는 '커뮤니티'다. 누군가에게는 모호하게 들릴지도 모르겠다. 그러나 기록하는 팀은 모호함보다는 분명함을 획득해가고 있다. 보고 듣고 만나고 쓸수록 분명해지는 것은 인디스쿨이 '커뮤니티', '공동체'라는 점이다.

창립자들이 "닫힌 교실 문을 열고" "사람과 사람이 만나는 곳"으로 가꾸고자 했던 커뮤니티로서의 인디스쿨은, 자료실과 각종 교사 모임과 연수를 열면서 서로를 위로하고, 격려하고, 보듬고, 세우고, 성장시키며 전개되었다. 이곳에서는 더 많이 기여하고 덜 기여한 사람이 있을지언정 '영향을 주기만 하는 존재'와 '수동적으로 받기만 하는 존재'의 구분은 모호했다. 모두가 주인이 되고자 힘쓰며, 피라미드가 아닌 복잡한 신경망과 같은 구조를 가지고 아래에서 위로, 위에서 아래로, 왼쪽에서 오른쪽으로, 오른쪽에서 왼쪽으로, 순방향, 역방향 할 것 없이 선한 영향을 주고 받았다. 그러한 작용과 화학 반응은 인디스쿨과 연결된 자신과 타인의 성장으로 남았고, 이는 교실에서 만나는 존재들에게 고스란히 가닿았다.

느티새싹

2020년, 코로나와 함께 첫 정식 발령을 맞이했다. 5월에 첫 등교하는 아이들에게 '오월 이'라는 별명을 붙여주고, 부끄러움 많은 아이를 위해 함께 노래를 불러주는 정 많은 신 규 선생님 **느티새싹**. 교실도 수업도 처음. 게다가 전에 없던 코로나까지 감당해야 하는 그에게 인디스쿨은 '선생님 학교'나 다름없다. 그는 선생님으로서 몇 발 떼지 않은 초심 자이지만, 교육에 대한 열정과 아이들에 대한 애정만큼은 누구보다 순수한 빛깔을 간 직하고 있다. 앞으로 든든한 베이스캠프같은 선생님이 되고 싶다는 그의 몇 년 후 모습 을 상상하며, 인디스쿨의 미래를 함께 그려본다.

교대생 시절부터 교수님이나 친구, 선배에게 인디스쿨 이야기를 많이 들어왔는데요. 특히 교대생들은 현장 실습을 나가면 처음으로 수업을 만들잖아요. '어떻게 해야 할까?' 하고 여기저기 물어보면 항상 하시는 말씀이, "인디스쿨에 다 있어"였어요.

발령받고 인디스쿨에 처음 가입했을 때 감동했던 기억이 나요. 대학생 때나 기간제 교사 때는 재직 증명서가 없어서 가입하지 못했었거든요. 못 보던 게시판이랑 글들이 보이니까 '아, 이제야 여기 들어왔다' 하는 느낌. 텅 빈 교실에 처음 들어왔을 때, 뭐부터 해야 할지 막막했어요. 그런데 진짜 인디스쿨에 다 있더라고요. 환경 미화부터 아이들과의 첫 만남, 업무요령이나 선배 선생님 교단 이야기까지 다 알 수 있었어요.

정식 발령이 난 동시에 코로나바이러스가 발생했어요. 주변 선생님들이 다들 불쌍하다 그랬죠. 개학이 점점 미뤄지면서 아이들을 거의 못 만났거든요. 첫해 아이들과 첫 동학년 선생님이 앞으로 교직 생활에 큰 영향 준다는데, 아쉽겠다는 이야기도 많이 들었어요.

5월쯤에 조를 나눠서 등교한다는 이야기가 들려와서, 반 아이들에게 '오월이'라는 별명을 붙여줬었어요. 일정이 또 미뤄져서 6월에야 처음 대면으로 만나게 됐지만, 그래도 너무 좋았어요. 아이들이 웃을 때는 어떤 표정이고, 말할 때는 어떻게 말하는지 눈으로 볼 수 있으니까 살아있는 느낌을 받았어요.

사실 처음 줌^{zoom}으로 만날 때는 아이들이 어색하니까 화면을 끄기도 하고, 수업 중에 밥을 먹거나 잠옷을 입고 등장해서 당황스럽기도 했거든요. 원격으로도 배움이 일어나는 수업을 하려면 어떻게 해야 할지 많이 고민됐던 것 같아요. 수업의 정의나 기준이 뭔지 생각해보게 되더라고요.

원격 만남도 만남의 한 형태라고 인정하고 수용하니까 그 범위 안에서 제가 좀 더 노력할 수 있는 게 보였어요. 함께 있을 수는 없지만, 서로의 얼굴을 보면서 놀 수 있는 활동을 많이 하려고. 한 친구가 생일일 때, 줌^{zoom}에 있는 화이트보드 기능을 이용해서 그 친구를 위한 칭찬을 롤링 페이퍼처럼 써서 생일을 축하해준 적도 있어요. 소회의실로 나눠서 아이들끼리 일대일로 이야기하는 시간을 가지기도 했죠. 처음에는 제가 감독하지 못하는 곳에서 문제가 있지 않을까 했는데, 규칙을 만들어주니까 아이들이 너무 잘 하더라고요.

한 해를 되돌아보면 화상으로라도 놀이 수업을 했던 게 가장 기억에 남아요. 아이들이 같이 '노는' 사이가 되면 좋겠다는 생각이 컸던 거 같아요. 뭔가를 잘못하더라도 '그럴 수 있지' 하고 서로를 이해하려면 함께 놀 수 있는 사이여야 할 것 같더라고요. 한번은 노래 〈너의 의미〉 뮤직비디오를 만들어준 적이 있는데요. 영상을 편집해서 모두가 한 공간에 있는 것처럼 만들어줬어요. 아이들이 노래도 한 소절씩 불렀는데, 감동적이었죠. 힘든 시기이지만 서로의 등대가 되어서 함께 잘 이겨내 보자는 마음을 전달하고 싶었어요.

제 교육관이 '모든 사람은 사랑받고 싶은 마음이 있다'인데요. 제가 어릴 적에 되게 부끄러워하고 소심한 아이였다 보니까, 저처럼 조용한 아이들까지 함께 어울리는 학급 문화를 만들어야겠다고 생각했어요. 한번은 학교에서 장기자랑을 하는 행사가 있었어요. 아이들이 바이올린이나 건반을 치기도 하고, 인형극을 하기도 하고, 코딩한 걸 보여주기도 했는데, 거기서 저도 노래를 부르기로 했어요. 왜냐면 부담스러운 친구들이 있을 수도 있잖아요. 특히 줌으로 발표하면 모두가 나를 바라보는 것처럼 보이니까 더 그럴 것 같아서. '선생님도 하니까, 괜찮아' 이렇게 보여주고 싶었어요.

막막한 한 해였지만, 선생님들이 만들어놓으신 길을 따라가면서 '아! 이렇게 하는 거구나'를 알았던 거 같아요. 틀릴 수도 있다는 불확실성에서 오는 주저함이 분명 있었을 텐데 그걸 이겨내고 먼저 길을 만드셨잖아요. 선생님들 자료 보면서 많이 배우기도 하고, 진짜 감사한 한 해였던 것 같습니다.

교육이라는 게 정량적으로 측정하기 어렵잖아요. 교육하는 직업인 교사는 성과를 증명하기가 어렵고, 그래서 내적으로 채워지지 않는 기분이 들기도 했어요. 코로나 상황도 있다 보니까 '내가 잘하고 있나'를 계속 고민하게 됐죠. 그때 인디스쿨 통해서 교사모임 '몽당분필'을 알게 됐어요. 궁금한 걸 물어보면 정확하게 대답해주시고 영상도 공유하는 분위기가 좋았어요. 인디스쿨에서 가져온 멋진 수업 자료들을 보고 아이들이 놀란 적도 있어요. "쌤이 만든 거예요?" 하고 물어보는데, "아니, 동료 쌤이 만든 건데 진짜 멋지지?"라고 자랑스럽게 대답했어요.

종종 퇴근하는 길에 인디스쿨의 '일상다반사' 게시판 글을 읽어요. 선생님으로서 살아가는 이야기가 담겨있잖아요. 선생님을 하면서 느끼는 게, 교사의 역할이 그냥 '가르치는 것'에 국한되는 건 아니라는 거예요. 아이들 각자에게 맞는 생활 교육, 학습 지도를 하면서 학교 행정 업무도 처리해야 하고, 교실 내부를 관리하면서 연간 학교 행사 진행도 해야 하고요. 그렇게 많은 일을 하다 보면 분명 학교에서 겪는 고충이 있는데, 바로 주변 사람들에게 속 시원하게 털어놓기 힘든 거예요. 선생님, 학생, 학부모 관련한 이야기이기 때문에 다른 직장 이야기처럼 함부로 이야기할 수 없다는 단점이 있어요. 다른 사람들에게 힘들다고 해도 '교사가 뭐가 힘들어' 하는 게 있기도 하거든요. 그런 감정들을 인디스쿨에서 나누고 나아갈 수 있다는 게 너무 다행이었어요.

저한테 인디스쿨은 영원히 졸업하기 싫은 학교 같아요. 아이들이 학교에서 성장하는 것처럼 저도 인디스쿨에서 배우고 성장하고 있어요. 도종환 시인이 '교사는 날려 보내기 위해 새를 키우는 사람'이라고 말했는데요. 선생님들은 매년 정들었던 관계를 정리하고, 아이들의 행운을 빌면서 떠나보내잖아요. 만남과 이별을 반복하다 보면 잊을 수 없었던 만남도 시간이 지나면서 색을 잃기도 하는데, '인디스쿨'이라는 학교는 시간이 흘러도 여전한 학교이면 좋겠다는 바람을 가지고 있어요. 현실에 있는 학교는 졸업해야 하고 진급해야 하지만, 인디스쿨이라는 공간은 졸업하지 않은 채로 변함없이 소속되어 있고 싶은 곳이에요.

교직에도 생애가 있다고 생각해요. 아직은 아이들 눈높이에서 함께하는, 편안하고 친구 같은 선생님 정도인 것 같은데요. 앞으로는 든든하게 의지할 수 있는 또 다른 베이스캠프가 되어주고 싶어요. 혹시나 가정이나 주변 상황이 아이들에게 방어막이 되어주지 못하는 경우가 생겼을 때, 그때 저를 찾을 수 있으면 좋겠어요. 청소년 시기에는 가정이 아니면 의지할 곳이 없는 경우가 많은데, '이 선생님에게는 털어놓아도 될 것 같아' 하는 안전망처럼 여겨주면 고마울 것 같아요. 또 내년에는 인디스쿨에서 제가 받은 것들을 나누고 싶다는 생각도 들어요. 좋은 분이 많다는 걸 알고 있으니까, 좀 더 용기를 내서 제 이야기를 해보고 싶습니다.

4장

위기

서버를 운영하는
모든 시간이
위기였다

20년이라는 긴 시간 동안 인디스쿨은 참 여러 가지 어려움에 부딪혀왔다. 모든 현상에는 밝음과 어두움이 공존하듯이 인디스쿨에도 아름다운 현상과 함께 바깥에는 내보이고 싶지 않은 어둡고 축축한 면들이 존재한다. 서버 다운과 같은 물리적 사고는 인디스쿨의 존폐를 위협할 만큼 심각한 위기였지만 분투하며 해결하는 과정에서 운영 원칙을 재확인하고 내부의 결속력을 높이는 기회가 되기도 하였고, 조직이 커지면서 감당해야 할 많은 문제는 운영진의 한계와 조직의 구조적 허약함을 드러내기도 했다.

긴 이야기를 이쯤 풀어내고 보니, 대가 없이 자기 것을 나누어 더욱 풍성해지는 아름다운 공동체의 이야기에서 못난 모습과 불협화음은 없는 일처럼 외면하고 싶은 욕망이 슬며시 생기기도 한다. 하지만 건강함은 한 자리에 머무는 것에서 오지 않는다. 바다에 몰아치는 폭풍우는 인간에게는 위협이지만 해수를 뒤섞고 순환시켜 생태계를 더욱 활성화하는 것처럼 말이다. 자연은 그렇게 바다의 건강함을 유지한다. 인디스쿨도 흠 없고 무결한 상태로 존재하기보다 건강함과 연약함, 지성과 무지, 문제와 해결이 활발하게 발생하고 해소되는 자연의 부지런함을 닮았다. 이번 장에서는 완전하지 않은 모습을 드러내도 괜찮다는 용기를 가지고 오늘도 현재진행형으로 처한 인디스쿨의 위태로움에 관해 이야기하고자 한다.

서버를 운영하는 모든 시간이 위기였다

폭발적 회원수 증가와 트래픽 유입은 유니콘을 꿈꾸는 스타트업이라면 누구나 꿈꾸는 성공의 척도이다. 인디스쿨은 커뮤니티 오픈 6년 만에 회원수 11만 명, 2021년 현재 동시접속자 수 5만 명이라는 성장을 이루어 냈다. '이루어 냈다'라는 표현은 적절하지 않다. 시간과 장소에 구애받지 않는 배움이 이루어지는 이 공간으로 교사들이 구름처럼 모여들었다. 그러나 누구도 인디스쿨이라는 공간을 양적으로 성장시키려 의도하지 않았고 애써 노력하지 않았다. 오히려 자고 일어나면 2, 3센티미터씩 키가 자라는 청소년처럼 너무 빠른 성장에 성장통을 앓았다.

처음 인디스쿨 홈페이지는 호스팅 업체에서 무료로 내어준 서버 공간에서 시작했다. 시작한 지 1년을 갓 넘긴 2002년 1월, 더는 무료 서버 이용이 불가하다는 통보를 받았다. 1년 동안 쌓인 콘텐츠가 사라지게 둘 수는 없었기에 창립자는 자비를 들여 유료 서버로 이사를 하였고 근근이 인디스쿨을 유지했다. 접속자가 많아져 서버에 부하가 걸릴 때마다 조금씩 용량을 늘려나가며 운영했다. 그러다 개인이 감당하기 너무 힘들 정도로 접속자가 늘어났고, 호스팅 업체에서도 감당하기 어려운 트래픽이 발생했다. 2003년 9월 1일에는 하루 동안 서버가 다운되었다가 한 독지가의 도움으로 무료로 제공받은 서버에 급하게 자료를 옮겨두는 일이 생겼다. 인디스쿨을 재개하려면 앞으로 어떤 노력이 얼마만큼 들어가야 할지 알 수 없었다. 간신히 24시간 만에 임시 게시판 하나를 열어 인디스쿨 도메인을 연결해 회원들에게 현재 서버 다운 상황을 공지했다. 소수의 운영진 의지와 노력만으로 이 공간을 유지하기 어려운 상황에 처하게 되었다.

인디스쿨은 그동안 수많은 제안을 받아왔다. 서버를 무상으로 대여해주겠다는 회사도 있었고, 광고 제안도 많았다. 광고나 기업 협조로 서버를 운영하는 방법, 교육청이나 교육부 산하로 들어가는 대안도 있었다. 교사가 주요 소비자인 기업은 순수하게 교사들만 모여있는 공간이 매력적인 시장이었을 것이고, 관 주도형 교육 정보 서비스가 막 태동하던 시기에 교사들이 자발적으로 모인 커뮤니티를 유관 기관에서 혹여 반길지도 모를 일이었다.

그 사이 임시 게시판에는 전국의 교사로부터 '우리 스스로 회비를 모아 인디스쿨을 살리자'라는 글이 빗발쳤다. 당시 학교와 교육청의 경직된 분위기에 갑갑해하던 교사들이 자유롭고 창의적으로 활동하던 공간으로 인디스쿨을 얼마나 아꼈는지를 증명하듯 눈물 어린 염려와 격려가 쏟아졌다. 아이들과 조금이라도 색다르고 재미있는 활동을 하면 이내 소문이 나고 동료들 사이에서 튀는 교사로 눈칫밥을 먹기 일쑤였던 시대에 '모난 돌 정체성'을 가진 많은 교사들이 누구의 간섭도 없이 마음껏 자기의 아이디어를 발산하고 나누려고 모인 온라인 공간은 이곳뿐이었다. 인디스쿨이 오늘 꺼질지 내일 꺼질지 알 수 없는 상황에서 당시 운영진은 신촌의 한 카페에 모여 이 공간의 미래에 대한 끝이 보이지 않는 회의를 했다. 인디스쿨은 참여하는 모두의 자발성이 동력이기에 운영회비를 모아보자는 의견이 오갔다.

"운영진도 시간을 희생하고 있는데, 계속 개인 돈으로 운영하기 어렵다고 생각했습니다. 광고를 돌릴까 생각도 했었어요. 그 당시 2주 광고에 300만 원 정도 제안을 받았던 것 같아요. 그러나 결론은 자발적 운영회비를 받아 보고, 그래도 안되면 '문 닫자'였습니다. 인디스쿨 문을 닫는다고 해도 훗날 뜻있는 후배 선생님께서 인디스쿨 같은 커뮤니티를 만들 거라는 믿음이 있었기에 가능했던 결론이었습니다." - 대두샘

인디스쿨이라는 웹사이트가 아니라 문화와 정신을 지키기 위해서는 어디에도 종속될 수 없었고 아무 돈이나 받을 수 없었다. 서버를 살릴 수 있을지 운영을 계속할 수 있을지 알 수 없는 상황에서 운영진은 인디스쿨이 정부나 기업에 기대지 않고 회원들의 자발적 회비로 운영되는 공간으로 독립하는 결정을 내렸다.

'관으로부터 독립된, 기업의 후원이나 상업적인 것에 종속되지 않은 독립된 공간으로, 초등교사의 손으로 운영한다.'

그것은 회원들과 함께 다시 확인한 인디스쿨의 정신이었고, 지금까지도 경계석이 되고 있다. 이 결정은 '정부와 시장의 한계를 보완하고 시민의 다양한 욕구를 충족시키는 수단'으로서 NGO, NPO의 등장 이유와 정확히 그 맥락이 일치한다.

자발적 운영회비의 원칙은 크게 두 가지로 정했다.

첫째, 회비는 인디스쿨 회원만 낼 수 있다.

둘째, 회비를 내지 않는 회원도 어떠한 불평등한 대우를 받지 않는다.

인디스쿨에서는 회비를 냄으로써 회원의 자격을 득하는 것이 아니라 회원만이 회비를 낼 수 있는 자격을 얻는다는 독특한 원칙이 마련되었다. 원칙이 확고해지자 서버 독립 자금 마련을 위한 자발적 운영회비 모금이 빠르게 전개되었다. 임시로 열린 게시판 하나에 회비 모금의 취지를 설명하고 계좌번호를 적어 공지했다. 2003년 9월 4일부터 9일까지 약 6일 만에 서버를 사고 그 서버를 인터넷에 물릴 수 있는 돈이 모였다. 2003년 11월 3일, 인디스쿨은 첫 독립 자금으로 구입한 새 서버로 이사를 갔다.

지금에야 가슴이 저릿할만치 멋진 장면으로 회상할 수 있지만, 공개적으로 자발적 운영회비를 모아 서버를 독립한 후에도 인디스쿨 서버를 운영하는 모든 시간은 위기였다. 새 서버로 이사간 지 일 년이 채 안 된 2004년 4월에는 지속적인 접속 폭주로 데이터베이스 하드디스크가 손상되어 일부 데이터를 유실하는 사고와 함께 약 15일 동안 서비스가 중단되는 일이 일어났다. 웹팀(지금의 기술연구팀) 사람들은 서버가 고장나거나 장애를 일으킬 때마다 늦은 밤 또는 주말에 데이터센터에 달려가 서버를 고쳐야 했다. 회원은 계속 늘어나고 트래픽은 기하급수적으로 증가하고 3월만 되면 사이트가 먹통이었다. 아침마다 접속이 어려웠다. 하지만 빠듯한 살림에 회원수가 늘어날 때마다 서버를 사고 회선을 늘릴 수도 없는 노릇이었다. 2007년 기준 13만 회원 중 약 0.2%인 270명의 자발적 운영회비로 회선 사용료를 거우 유지했다. 인디스쿨은 폭발적으로 성장했으나 늘 보릿고개였다.

> "13만 회원이라는 것에 가리워진 정확한 현실을 말씀드리지요. 11월에는 270여 명의 선생님들께서 보내주시는 돈으로 운영했습니다.
> 270/130000=0.00206.... 13만 회원 중에서 0.2%가 내는 자발적 운영회비로 운영되는 곳입니다. 어떤 달은 (납부자가) 200명이 안될 때도 있어요."
> − 인디스쿨 인디광장 게시판 게시글 중 〈인디스쿨과 전국 단위 초등 교원단체〉,
> 지니샘(2007.12.18)

나도 내 교실이 있다

학교가 끝난 늦은 오후, 모두가 잠든 새벽, 가족들과 함께 보내야 할 주말이 되면 운영진은 일을 시작한다. 정기적으로 열리는 교사 연수를 기획하고 운영하는 일, 서버를 안정적으로 운영하고 서비스를 개선하는 일, 교사의 일상에 다가가는 다양한 강의와 모임을 만들어 내는 일, 후원 회원 감사 이벤트와 굿즈 제작과 게시판 캠페인을 이끌어 가는 일, 전국 10여 개의 공식 교사 모임 협의체를 운영하고 지원하는 일, 게시글을 관리하고 회원간 갈등을 조정하고 처리하는 일, 뜻이 맞는 단체와 적절한 협업을 진행하는 일, 비영리 단체로서 조직을 잘 운영하기 위해 공부하고 자문받고 실험하는 일은 고단한 학교 일이 끝나고, 전쟁 같은 육아에서 퇴근한 후부터 시작이다.

그 시절의 **작은불꽃**은 교실에 도움이 되는 소재라면 주말과 방학을 바쳐 연수를 직접 기획하고 운영하는 열정을 부렸다. 지역 인디를 활성화하기 위해 2007년까지 수도권 외 강원도, 충청도, 경상도, 전라도를 지나 제주도까지 찍는 '전국순회연수'를 돌았다. 전국을 도는 일이 힘들지 않았다면 거짓말이지만, 현장감 있는 연수는 언제나 교사들의 환영을 받았고 그게 좋았다. YOUN은 인디스쿨에 올릴 플래시 자료를 만드느라 밤을 새워도 신이 났고, 더 많은 사람이 글을 쓸 수 있는 문화를 만들기 위해 게시글 하나하나마다 댓글을 달아주는 정성을 쏟았다. **대두샘**은 혼자 홈페이지를 관리하던 시절, 기존에 없던 회원인증체계를 만들고 서버를 설정하고 거의 모든 여가를 인디스쿨 홈페이지를 관리하는 데 쏟았지만 그저 재미있어서 할 수 있었다.

이 일이 그저 좋고 뿌듯해서 자신의 모든 걸 쏟을 수 있는 사람들이 있었기에 인디스쿨은 늘 사람들로 북적였다. 그러나 아무리 열정있는 사람들이 모인 운영진이라 해도 돈을 받는 일도 아니고, 꼭 해야 할 의무도 없었기에 지치면 지치는 대로 주저앉을 권리가 그들에게 있었다. 대표의 마음으로는 운영진이 계속 열심히 해줬으면 좋겠는데, 일이 멈춰있을 때면 답답한 마음도 들었다. 때로는(지금도) 회원들이 원하는 속도만큼 운영진이 일하지 못할 때도 있다. 처리해야 할 일 목록은 쌓여 있고 해결하는 일손은 한정되어있다.

한편, 이 일은 부담을 가지면 못 하는 일이었다. 안정적으로 서버를 운영하고 산적해 있는 게시판 오류를 잡고 새로운 코드를 짜는 일도 중요하지만, 교실에는 자신만 바라보는 아이들이 있고 그 아이들을 가르치는 일이 선생인 사람에게는 가장 중요하다. 인디스쿨이 이 땅의 아이들이 행복하기 위해 존재한다고 말할 때, 운영진 교실의 아이들도 열외는 아니지 않은가.

기술연구팀 **리누범**은 인디스쿨 시스템의 굵직한 변화를 함께한 인물로, 통합검색에 대한 욕구를 실현하기 위해 제로보드라는 서비스를 XE로 바꾸었을 때 너무 무거운 프로그램 때문에 서버가 느려져 1년 내내 욕을 먹었던 기억을 떠올린다. 그는 팀장이 된 후 홈페이지를 향한 민원이 끊이지 않을 때도 팀원에게 억지로 일을 하게 하거나 아랫사람 다루듯 일하지 않으려 노력했다. 일 처리는 늦어질 수 있겠지만, 팀이 좋은 관계를 유지하면서 일하고 싶었다. 누가 시켜서 하는 일이 아니어야, 부담을 가지지 않아야 기술팀 일을 지속할 수 있다고 생각했다.

누군가 목표를 정해놓고 기간 내에 일을 해내야 한다고 강요하는 순간, 열정에 찬물이 한 바가지 끼얹어지고 마음은 짜졌다. 리더 한 사람이 잘 짜인 조직 시스템을 만들고 운영진을 배치하고 일을 할당해봤자 조직은 동작하지 않았다. 이곳 사람들은 그렇게 움직이지 않았다.

한동안은 기술연구팀을 비롯한 운영진 모두가 일을 잘하지 못한다는 자책을 하던 때도 있었다. 각자가 자신의 학교 또는 지역에서 너무 바쁘고, 마음도 뜨고, 팀이 잘 돌아가지 않던 시기였다. 팀이 그러니 그 와중에 뭐라도 해보려는 심정으로 **개자봉**은 최신 프로그래밍 기술을 독학해서 혼자 개발 일을 했다. 뭐 하나에 꽂히면 치고 나가는 스타일이었다. 그러나 개선이나 오류 해결 요청을 처리할 수 있는 사람이 한 명밖에 없다는 부담감이 점점 커졌다. 이러다 내가 개발을 하지 못하는 날이 오면 시스템 유지보수가 어려워지고, 최악의 상황에 인디스쿨이 사라질 수도 있겠다는 생각이 들었다. 혼자서만 잘하는 것은 오히려 리스크가 되어 돌아왔다.

팀이 개발을 빨리빨리 해내지 못하니 이럴 바에 개발 외주를 주고 기술팀은 외주팀을 관리하자는 이야기까지 나왔다. 사용자와 연수팀 사람들이 원하는 기능을 제때 개발하지 못하니 미안했다. 그 무렵 운영진 **류짱**도 조직에 도움이 되지 않는다는 느낌, 기여하는 게 없는 것 같다는 감각이 견디기 어려웠다. 많은 사람이 피로감과 무력함을 느꼈다. 이런 마음으로는 더 이상 이 일을 하지 못할 것 같았다. 2016년, 모두가 떠나고 싶어 했다.

비주류가 주류가 될 때

2003년 9월 독립 자금 모금을 통해 모은 자발적 운영회비로 서버와 12개월 회선료를 계약했다. 계속된 트래픽 증가로 서버 증설이 필요할 때마다 자발적 운영회비를 모금했다. 필요시마다 운영회비를 걷는 방식은 이후에 좀 더 안정적인 조직 운영을 위해 정기 후원금 제도로 변화했다. 정기 후원금을 모금해서 운영한다는 것은 이제 더는 이 조직이 동아리처럼 운영될 수 없다는 뜻이기도 했다. 안정적인 인디스쿨 운영을 염원하는 회원들의 바람을 실현하기 위해, 서버를 사고 트래픽 용량을 늘리기 위해 자발적 운영회비를 모았으나 그것이 가져올 책임과 의미를 알고 시작한 것은 아니었다. 전국의 초등교사가 조금은 편하게 접속할 수 있겠다는 기대와 설렘으로 시작한 일에는 더 많은 과업과 책임감이 필요했다.

후원금 운영에는 우선 예산의 수립과 집행 및 관리를 하는 회계의 역할을 해줄 사람과 조직의 체계가 필요했다. 그러나 처음에는 운영회비 모금을 진행할 때마다 총무가 개인 통장으로 후원금을 받고 장부를 수기로 작성해 운영했다. 그러다 기천만 원에 달하는 후원금이 지속해서 총무 개인의 수입으로 잡혀 전세자금 대출이 안 되는 사건도 발생했다. 예상치 못한 일에 모두가 당황했다. 운영진 누구도 인디스쿨을 규모 있는 단체로 키울 생각이 없었고 노력도 하지 않았지만 이미 인디스쿨 운영은 개인이 감당하기에 너무 큰 규모가 되었다. 한두 푼이 아닌 후원금을 개인 명의로 관리하는 것은 총무에게 큰 짐이었고 회계상 좋은 모양새가 아니었다. 4대 대표 **캡틴**은 인디스쿨을 단체로 만들어야겠다고 결심했다. 2010년 11월, 관할 세무서에 비영리단체 등록 신고를 하고 나서야 단체명으로 된 통장을 개설할 수 있었다.

자발적 운영회비로 모인 자금으로 서버는 운영하되, 운영진 다과비나 장소 대관료 같은 회의비 일체를 한동안은 운영진 자비로 감당했다. 운영회의 참석자에게 식비와 교통비를 지급할지 말지 심각한 논쟁이 벌어질 정도로 선배 운영진은 뼛속까지 자발성을 강조했다. 인디스쿨 활동은 스스로 선택한 자발성이 아니고서는 아무런 의미도 가치도 없다고 여겼고, 이 정신은 운영진이나 이곳에서 공헌하는 모든 사람에게 적용되는 것이었다.

시대가 변하고 자신의 콘텐츠로 책을 내거나 강의하는 교사가 늘어났다. 인디스쿨에서 좋은 자료로 한동안 인기를 얻다가 출판사나 영리 업체의 스카우트를 받아 올렸던 자료를 모두 지우고 떠나는 회원도 생겨나기 시작했다. 그때마다 운영진은 질 좋은 자료와 글을 올리는 다른 회원도 언젠가 자기만의 콘텐츠를 독점적으로 배포하기 위해 떠나지 않을까 불안했다. 그들을 붙잡기 위해 공헌에 값을 매기고 콘텐츠 비용을 지불해야 하는 것은 아닌지 이야기가 나왔다. 그러나 자발성의 가치를 돈으로 매기기 시작하면 인디스쿨의 본질이 훼손되리라 생각했다. 누구나 쉽게 들러 각자 삶의 이야기를 두런두런 나누는 사랑방 문화가 퇴색할 거라고 판단했다. 인디스쿨에서는 아무리 열심히 해도 얻어갈 게 없다는 우스갯소리는 비단 운영진에 국한된 것이 아니었다. 늦은 새벽까지 좋은 자료를 만들어서 자료실에 올려주시는 전국의 수많은 교사에게 오늘도 '고맙습니다'라는 말 외에 드릴 수 있는 것이 없다.

인디스쿨은 비주류 감성의 몇몇 사람이 시작했을 뿐인데, 그 감성이 공감을 일으켜 이제는 초등교사라면 모르는 이가 없고 대부분이 가입한 단체가 되어버렸다. 전국 초등교사의 공동체가 되었지만 이 공동체를 지속할 수 있는 구조를 만드는 게 얼마나 손이 많이 가는 일인지, 시작할 때는 알지 못했다. 수평적 구조와 민주적 운영을 꿈꾸었기에 모든 것을 함께 고민하고 의사결정하는 것을 미덕으로 삼았으나 지금 같은 규모에서는 그 미덕 때문에 소진과 피로를 경험한다. 전국의 선생님을 연결하고 교육과 연결된 혁신적이고 재미난 일을 벌이는 데 탁월했으나 사업을 넘어 비영리 조직 운영에 대해 건강하게 논의할 수 있는 구조를 만들고 유지하는 데 서툴렀다. 비영리 조직이라는 시스템을 이해하고 시스템이 잘 돌아가도록 거버넌스를 튼튼하게 만드는 일까지 최선을 다할 여력이 없었다. 지금은 어떻게든 굴러가니까 일단 미루어두고 싶었다.

어떤 이들은 인디스쿨이 왜 초등교사를 위해 목소리를 내지 않느냐고 묻는다. 2007년 말 교사 다면 평가제 시행에 뜨거운 논란이 일었고 인디스쿨에도 교사 권익 옹호에 대한 책임이 날카롭게 요구된 적이 있었다. 일각에서는 초등교사의 권익을 지켜내기 위해 인디스쿨에 교원 단체 또는 노조의 역할을 기대한다. 그러나 이미 복수의 교원 단체가 있고 초등교사의 권익을 대변하기 위한 다양한 노조가 존재한다. 더 나은 세상을 만들려는 바람은 모두 같으나, 그 일을 잘해낼 수 있는 방식은 각기 다르다. 인디스쿨은 초등교사의 자유롭고 다양한 생각이 오가는 소통의 장을 마련할 뿐이다. 14만의 생각이 한 방향이라면 그 결로 모일 것이고, 그렇지 않다면 그렇지 않은 대로 드러나는 것이 광장의 기능이다.

그런 면에서 인디스쿨 대표라는 자리는 광장의 경계 대상이 된다. 자칫 대표라는 직함을 오인하여 개인의 유능함을 드러내는 데 단체를 이용하지 않도록, 사유화하지 않도록, 유명세를 얻는 데 몰두하지 않도록 자기 자신과 조직이 늘 경계해야 하는 자리이다. 전통적으로 인디스쿨 대표는 대표에 대한 욕망이 없는 사람들이 '총대를 멘다'는 심정으로 맡는 자리였다. 총대를 메었으면서도 쉽게 스며들 수 있는 유혹으로부터 자기 자신과 조직을 지켜낼 힘이 필요한 자리이다.

14만이 모이는 사랑방이 가능할까

인디스쿨 자료실에는 20년간 축적된 엄청난 양의 양질의 수업 자료가 정리되어 있지만 인디스쿨은 자료실이 아닌 커뮤니티임을 언제나 자랑스럽게 생각한다. 가난했던 서버 셋방살이 시절에는 특정 기간과 시간대에 폭주하는 트래픽을 감당하지 못해 접속이 느려질 때마다 회원들 사이에서 인디스쿨을 유료화하자는 이야기가 나왔다. 회원 한 명이 한 달에 천 원만 내고 사용해도 한 달에 대략 1억 원 넘는 수입을 만들 수 있었다. 서버를 넉넉하게 유지할 재원을 간단하게 마련하는 방법이 유료화였다. 이용료를 받아 운영한다면 고민할 것 없이 쉽게 쾌적한 서버를 이용할 수 있겠지만, 그렇게 된다면 초등교사의 삶과 지식을 나누는 공동체로서의 정체성을 지키기 어려워질 것이라고 초기 운영진은 생각했다.

인디스쿨은 수업 자료를 올리는 자와 다운로드 받는 자의 중계 역할에 그치는 서비스이고 싶지 않다. 누군가 올린 수업 자료를 활용한 선생님들의 경험 지식이 추가되어 새로운 모델의 지식으로 끊임없이 재생산되는 집단 지성, 협업 지성의 공동체를 추구한다. 한때 잘 가공된 멀티미디어 수업 자료를 클릭하는 것만으로 간편하게 수업할 수 있는 서비스 때문에 전국 교실의 수업이 천편일률적이었던 시절을 기억하는 이가 있을 것이다. 교사가 수업에 대한 고민 없이 디지털 수업 도구에만 의지하여 수업하는 현상을 빗대어 '클릭 교사'라는 비판이 나왔다. 가르치는 사람의 고민과 생각이 빠진 채 인디스쿨의 반응 좋은 콘텐츠, 추천 많은 자료들이 전국의 교실에서 원작 그대로 활용되는 세태도 이런 비난에서 자유로울 수는 없다. 다양성을 토대로 새로운 개성의 교실이 되기를 바랐지, 같은 콘텐츠가 고민과 재해석 과정을 거치지 않은 채 전국에 반복 재생되는 교실을 바란 것은 아니었다. 이 모습 또한 인디스쿨의 그늘이다.

감사하다는 수백 개의 댓글보다 한 줄의 비난이 사람을 더 낙담시키는 법이다. 인디스쿨에 양질의 자료를 대가 없이 올리는 수많은 선생님이 받은 쪽지들은 거짓말이 아닐까 싶을 정도로 황당한 경우가 많았다. 황금별 교사들이 꼽는 가장 흔한 유형은 단연 '자료 재촉형'이다. 재촉하면 얼마나 했겠나 싶지만, 다음 차시 자료는 대체 언제 나오냐는 쪽지는 애교에 속하고, 수업이 다음 주 화요일이니 월요일까지는 자료를 꼭 업로드 해달라며 마감 일정을 정해주는 경우도 있었다. '혹시 요런 요런 수업에 쓸 건데 이런 이런 주제로 수업 자료 만들어 주실 수 있나요?' 하는 '맞춤 제작 요구형'도 의외로 많으며, 심지어 자기 반 상황과 자료가 맞지 않으니 다음부터는 보편적인 학급에서 사용할 수 있도록 만들어달라는 훈계를 더하는 사람도 있었다. 코로나 상황에서 온라인 개학으로 전국의 초등교실이 고통받을 때 직접 목소리를 녹음해 온라인 수업용으로 나눈 자료에 '장단음 발음이 틀렸다'며 한땀 한땀 지적을 아끼지 않는 '지적질형' 쪽지를 보내는 사람도 있었다. 더 나아가 '선생님 자료로 수업했다가 망쳤어요'라는 '원망형' 쪽지도 받아보았다고 하니 세상에는 참 다양한 사람들이 있다는 것에 새삼 놀라지 않을 수 없다.

인디스쿨에 있는 수업 자료는 우리 반을 잘 가르쳐 보려고 만든 것을 '혹시 다른 학급에 쓰임이 있을까' 하고 나누어주신 것이기 때문에 사소한 오타나 오류가 있을 때도 있다. 혹은 취향이 다른 교사 눈에 마음에 차지 않는 부분이 있을 수 있다. 받아서 그대로 쓰는 것이 아니라 가르치는 사람의 안목으로 자기 반 아이들에게 가장 적합한 형태로 재창조하여 사용하고, 먼저 올려준 동료에게 고마움을 표현하는 것이 오랫동안 전수된 자료실 이용 문화였다.

아무리 서로 얼굴 본 적 없는 사이라지만 언젠가 학교 현장에서 만날 수도 있을 잠재적 동료라는 것을 잊은 분들이 많아진 것일까? 자료를 올릴 때 오타를 비롯한 작은 실수를 살펴달라고 부탁하기도 하면서 함께 발전시켜나가니 동료 장학하는 기분이 들 때도 있었고, 마지막 단원을 올릴 때는 괜스레 동학년 선생님들을 떠나보내는 것처럼 아쉬운 마음이 들었다는 한 황금별 교사의 경험이 이제는 옛날이야기가 된 것은 아닐까 싶어 안타깝다.

요즘처럼 SNS가 활발한 시대에 교사들 사이에서 인디스쿨은 전통적 대

중매체에 비유되곤 한다. 특히 젊은 세대 교사는 인디스쿨 외에 인스타그램, 페이스북, 유튜브를 구독하는 것만으로도 좋은 교육 자료를 공유받을 수 있다고 말한다. 교사로서 자기를 브랜딩할 수 있는 개인 채널이 인기를 얻으면서 인디스쿨에 일부 자료를 예고편처럼 올려두고 나머지는 자신의 SNS에서 받을 수 있다며 개인 채널 유입을 유도하는 글도 많이 올라오고 있다. 20년 전 개인 홈페이지를 운영하면서 양질의 교육자료를 공유하던 교사들이 인디스쿨의 가치에 공감해 인디라는 우산 안으로 들어온 것과는 정반대의 현상이다. 개인 채널 홍보와 저작물 홍보글을 불편해하는 회원들의 의견이 끊임없이 헬프데스크에 접수된다. 인디스쿨 안에 지식이 쌓이지 않고 홍보의 욕망이 흘러넘치는 현상은 인디스쿨의 미션을 다시금 생각케 한다. 시대가 그러하다고 그저 순응하면 괜찮겠지만, 이 사소해 보이는 시그널이 야기할 인디스쿨의 기후변화를 지켜만 보기 어렵다.

아름다움과 추함, 모든 것이 드러나는 광장

인디스쿨 커뮤니티에는 학교에서 겪은 괴롭고 힘든 사연들이 자주 올라온다. 그런 사연에는 힘내라는 응원부터 구체적인 조언까지 수십 개의 댓글이 달린다. 동료 교사, 학생, 양육자와의 관계 속에서 복잡미묘하게 얽힌 일들은 혼자 해결하기 어려울뿐더러 쉽사리 주변인에게 조언을 구하기도 어렵다. 복잡하고 예민한 사안일수록 비밀을 유지하는 것이 중요하기 때문이다. 만난 적도 없고 이름도 모르는 곤경에 처한 선생님에게 공감과 위로와 조언을 나누는 모습은 글쓴이뿐 아니라 글을 읽는 커뮤니티의 모든 이에게 치유를 선물한다. 그래서 오늘도 우리는 광장에 접속한다. 세상은 정숙, 설제, 인내, 사랑, 유능함에 아름다움까지 갖춘 어디에도 존재한 적 없고 앞으로도 없을 이상적 교사상을 강요하지만, 이곳에는 가르치는 사람으로서 부족함을 느끼고 어제보다 조금 더 나아지고 싶은 평범한 교사들이 모여든다. 이 공간은 이상적인 교사들의 완벽한 지식과 훈계가 있는 곳이 아니라 보통의 교사가 시행착오와 낙담을 극복하는 이야기가 실재하는 곳일 뿐이다.

인터넷이라는 것이 세상에 나온 이래로 익명이라는 그늘 뒤에 숨어 언어로 폭력을 가하는 행위가 사회 문제로 등장했다. 온라인 게시판에서 사용자들은 익명성이 보장되기 때문에 악성댓글로 종종 상대방을 모욕하거나 비난하기도 하고,[33] 인터넷 기사에 달리는 폭력적인 댓글 때문에 자살하는 연예인도 생겼다. 사람들이 자신의 이름과 얼굴을 알 수 없다는 '정체불명성'은 현실에서는 하지 못하는 말과 행동을 해도 괜찮다는 기대를 품게 한다. 인디스쿨에도 과거 익명게시판이 존재했고 사라진 역사가 있다. 완벽히 익명으로 글을 쓸 수 있는 정체불명성은 누군가 아무렇게나 뱉은 말이 진실인지 가십인지 구분되지 않은 채 유령처럼 떠도는 일반 커뮤니티에서 나타나는 현상을 그대로 이 공간에 재현했다. 모든 글이 그랬던 것은 아니지만 술집에서나 떠들 수 있는 가십이 쏟아졌다. 당장에야 별일 아닌 일

---

33 Hinduja, S. & Patchin, J. W. (2008). Cyberbullying: An exploratory analysis of factors related to offending and victimization. Deviant Behavior, 29(2).

에 불과할지라도 언젠가는 조직을 위태롭게 할 수도 있는 문제였다. **지니샘**은 소수가 배설하는 품위 없는 글 때문에 인디스쿨을 망하게 할 수는 없다는 신념으로 쏟아지는 비난을 감내하면서도 익명게시판을 없애기로 결정했다.

어린이에게 자유의 개념을 가르칠 때 흔히 하는 말이 있다. '자유는 자기가 하고 싶은 대로 행동하는 것이 아니며 자신의 행동에는 책임이 따른다.' 현 시스템에서는 '자유게시판'이 사라지고 '인디 광장'으로 통합되었지만, 자유의 개념을 이해했는지 의문스러울 만큼 날것의 언어를 내뱉는 사람들이 닉네임 뒤에 숨어 이 공간을 이용했다. 비난과 조롱과 야유가 난무했고 갈등을 중재하고 처리하는 수고로운 손들이 많이 지쳐가고 있었다. 일반적으로 토론은 관심 주제에 의견이 다른 상대방과 번갈아 가며 공평하게 의사소통하도록 구조화된 사건이다.[34] 성숙한 시민이라면 토론의 대상이 되는 주제에 의견을 주고받으며 담론을 이어간다. 그러나 대화가 논의의 주제가 아니라 그것을 '지지하는 나'와 '비판하는 너'의 태도에 집중되는 순간 감정적이고 거친 이야기가 쏟아져나오고 토론은 걷잡을 수 없이 난장판이 되고 만다.

매월 열리는 운영회의에서 건설적인 인디스쿨 운영에 관해 논의하는 시간보다 게시판 갈등을 처리하는 데 더 많은 시간과 에너지를 써야 했다. 논란 댓글을 남기는 데는 1분이 채 걸리지 않지만 이를 읽고, 소통하고, 판단

---

34 알프레드 스나이더 & 맥스웰 슈누러. (2014). 수업의 완성 교실토론, 사회평론.

해서, 기록 남기고, 실제 제재를 가하는 처리 과정은 10분도 넘게 걸렸다. 예를 들어 한 게시글에 20개의 댓글로 회원끼리 서로 싸웠다고 한다면 그 게시물의 논란을 처리하는 데 3시간이 넘게 걸린다(현재는 기술연구팀이 2021년에 개발한 시스템으로 개편되면서 훨씬 시간이 단축되었다). 이렇게 절차대로 처리해도 잡음이 끊이지 않았다.

2019년부터 '게시판 모니터링 팀'이라는 이름으로 공개 모집을 통해 게시판의 글과 댓글 모니터링을 담당하는 TF팀을 운영하고 있다. 하지만 이마저도 여의치는 않다. 인디스쿨 게시판에서 일어나는 회원 간 갈등을 줄이는 데 도움이 되고 싶어 모니터링팀에 자원했지만, 6개월 안에 그만 두는 사람이 3분의 1가량 된다고 한다. 모니터링에 참여한 한 회원은 모니터링 대상이 되는 글들을 한 시간만 보고 있어도 머리가 아프고 우울해지는 정신적 고통을 호소하기도 했다.

일반적인 인터넷 커뮤니티는 게시물을 자동화 시스템으로 관리한다. 신고가 특정 건수 이상 누적되면 글 자체의 문제 여부와 상관없이 게시글이 삭제되거나 특정 단어가 포함된 게시물은 자동으로 삭제된다. 불특정 다수를 대상으로 하는 커뮤니티는 특정 주제와 관련해 벌어지는 회원 간 싸움을 중재하고 관리할 인력은 없기 때문이다. 인디스쿨 웹사이트에서도 종교, 정치, 젠더 등과 관련된 게시글이 등장하는 순간 갈등이 일어난다. 기술력이 안 되는 것도 아니고 여타의 커뮤니티와 같이 자동 삭제 기능을 도입하면 쉽겠지만 여전히 모니터링팀을 운영하고, 회원 제재 이슈는 신중한 판단을 위해 긴 회의를 거친다. 기계적으로 금지하고 제명하면 편할 것을, 인디스쿨을 운영하는 사람들은 쉬운 길을 두고 늘 어려운 길을 택한다.

인디스쿨이라는 광장의 판을 까는 사람들은 종교, 정치, 젠더 등과 같은 이야기도 교육과 관련된 견해가 있다면 이곳에서 나눌 수 있어야 한다고 생각하는 이들이다. 이 공간을 찾아오는 사람들을 '이용자'가 아니라 나와 같이 교실에서 아이들을 가르치고 있을 '동료'라고 생각하기 때문이다. 우리가 아이들에게 감정을 조절하고 갈등을 풀어가는 방법을 가르치는 사람들이기에 때로는 우리 안에 갈등이 있더라도 성숙한 문화가 지켜질 것이라는 믿음이 있다. 그렇기 때문에 운영진이 단속과 처벌을 내리는 경찰 역할보다 구성원 간 자정 작용을 돕는 조력자 역할을 지향하는 것은 어쩌면 당연했다. 그러나 품위를 지키는 사람들이라는 믿음 위에 세워진 우리의 광장에 자정 작용의 원리가 이제는 유효하지 않은 듯한 현실을 마주할 때마다, 인디스쿨이 더는 광장 역할을 할 수 없는 날이 오리라는 위기감이 모두의 마음 한켠에 쌓인다.

20년의 역사와 14만 회원이 있는 조직의 구조와 운영이 아마추어 같아서 실망했다면 미안하지만, 이것이 사실이다. 인디스쿨은 지금까지 일어난 이 모든 일을 계획하고 시작하지 않았고, 알고 시작하지도 않았다. 아니, 알았다면 시작하지 않았을 것이다. 현재 운영진조차 이 일이 이렇게 마음과 시간을 많이 쓰는 고단한 일인 줄 알았다면 발을 들이지 않았을 것 같다는 농담을 하기도 한다. 인디스쿨은 14만 명의 광장이자 초등교사들의 사랑방을 앞으로도 지켜낼 수 있을까?

heya

신규교사라는 말이 조금 어색해진 5년 차 선생님. 새벽까지 인디스쿨에서 자료를 찾던

그가 이제는 자료를 나눠주는 황금별 교사가 됐다. 선생님이 재미있어하는 수업이 곧 학

생들이 좋아하는 수업이라 생각한다는 그의 자료에는 유튜브 영상이며 각종 예능이 가

득하다. 좋아하는 것을 일에 녹여내기. 많은 밀레니얼 직장인의 꿈을 실현하고 있는 그

는 즐거워하는 아이들과 따뜻한 댓글로부터 힘을 얻는다. 힘들게 만든 자료, 자신만 보기

아깝지 않냐 말하는 그에게서 어느새 그가 동경하던 '프로 선생님'의 모습이 겹쳐보인다.

'별천지' 인디스쿨을 더 다채롭게 빛내는 황금별 **heya**를 통해 인디스쿨만의 색채를 만나

봤다.

교대생, 예비교사들은 교사가 되기 전부터 이미 인디스쿨을 알고 있을 거예요. 교생 실습 가면 담당 선생님이 인디스쿨에서 찾아보라고 알려주시거든요. 가입하려면 교사용 인증서가 필요해서 전해 듣고만 있다가, 인증서가 발급되자마자 가입했어요. 보니까 제가 가입한 날짜가 3월 8일이더라고요. 3월 1일에 첫 발령 나고 처리가 일주일쯤 걸리니까 거의 바로 가입한 셈이죠. 저한텐 인디스쿨이 사수님 같은 느낌이었어요. 모르는 게 있을 때 쪼르르 달려가서 '이거 어떻게 해요?' 하고 물어보면 친절하게 알려주는 곳이요.

인디스쿨에 들어가 보고 대단한 선생님이 참 많다는 생각이 들었어요. 자료 완성도가 워낙 높으니까 '도대체 어떤 분들이길래 이런 자료를 올리나' 신기하다는 생각도 들고, 별천지 같은 느낌이었죠. 그때는 제가 감히 자료를 올리게 될 거라고 생각도 못 했어요. 첫해에는 자료가 너무 많으니까, 저희 반에 맞는 자료를 찾기도 힘들더라고요. 어떤 자료를 쓸지 고르기만 해도 자정을 넘기고 그랬어요. 이것도 좋고, 저것도 좋다면서 다운받다 보니까 나중에는 비슷한 자료가 열 개씩 있더라고요.

처음에는 인디스쿨에서 찾은 좋은 자료들을 조합해서 자료를 만들었는데, 그럼 거의 새로운 자료를 만드는 거나 다름없더라고요. 그래서 '차라리 내가 자료를 만들어볼까?' 하는 생각에 만들게 됐어요. 두 번째 해에 과학 전담 교사를 하게 됐는데, 같은 내용으로 8번씩 수업해야 했어요. 그러다 보니까 조금 더 자료를 공들여서 만들 수 있게 되었고, 수업을 하면 할수록 퀄리티가 높아졌어요. 근데 이걸 저만 쓰고 말기 아깝더라고요. 제가 보기에도 괜찮다 싶어서 '어디에 올려볼까?' 하다가 인디스쿨에 올렸는데 반응이 엄청 좋았던 거예요. 저는 사실 소심해서 댓글 반응이 별로면 지우려고 했거든요. 근데 그때 댓글 달린 거 보고는 못 지웠어요. '재밌다', '잘 쓸게요' 이런 간단한 댓글이었는데도 힘이 나더라고요.

제가 유튜브나 영상을 좋아해서, 예능이나 실험 영상을 활용한 자료를 많이 만들었어요. 백종원 님이 요리할 때 분수를 많이 말씀하시더라고요. '3인분 만들려면 4분의 3만큼 넣어야 한다' 이런 말씀하신 영상을 수업할 때 사용하기도 하고요. 아이들은 "그냥 3명이 4인분 만들고 한 명이 1인분 더 먹으면 안 돼요?"라고 대답한 적도 있어요. 특히 사회 과목 연관된 예능 자료가 많아요. 〈무한도전〉이나 여러 강의 예능도 많고, 뉴미디어 채널들이 재미있고 짧게 영상을 잘 만들더라고요.

학창 시절에 보면 항상 수업하다가 딴 길로 새는 선생님 있잖아요. 제가 그런 교사 같아요. 아이들에게 농담하는 것도 좋아하거든요. 아이들이 웃어주면 그게 너무 재밌어요. 선생님이 지루해하는 수업을 학생들이 재미있어할 리가 없잖아요. 그래서 저는 일단 제가 재미있는 수업을 하고 싶었어요. 저도 유튜브를 많이 보니까, 제가 보기에 재밌는 게 있으면 수업에 어떻게든 활용하려고 해요. 그때그때 유튜브 보면서도 평소 메모장 같은 곳에, 몇 학년 어디 쯤에 쓰일 것 같다고 필기 해두기도 하고요. 그러면 제가 어떤 학년 어떤 과목을 가르치게 되더라도 메모를 보고 끌어올 수 있어요. 아이들은 진짜 재미있었을 거예요. 요즘 아이들은 영상 세대이다 보니까, 글이나 사진은 잘 집중하지 못하는데 영상은 잘 기억하더라고요.

그렇게 만든 자료에 응원해주신 댓글이 하나하나 기억에 남았어요. 좋은 댓글이 달리니까 더 열심히 할 수밖에 없더라고요. 아이들에게 처음으로 수업이 재미있다는 말을 들어봤다는 댓글도 있었고. 제가 황금별로 활동하는 걸 잘 알리지는 않는 편인데, 언제는 옆 반 선생님께서 인디스쿨에 좋은 자료가 있다면서 제 자료를 보여주시는 거예요. 그때 민망하기도 하고 뿌듯하기도 했어요.

'인디의 날' 행사에 참석했을 때, 행복한김샘을 뵈었어요. 제가 처음 인디스쿨에 들어 왔을 때부터 유용한 자료를 많이 올려주셨고, 아무도 그분을 못 따라잡는다고 할 만큼 대단한 분이었거든요. 그런데 만나 보니까 아이도 있고 학교에서 부장도 맡았는데 퀄리티 있는 자료를 많이 올리고 계셨어요. 사람들이 어떻게 그렇게 자료를 올리냐고 물어보니까, 아이를 재우고 새벽에 일어나서 만드신다는 거예요. 그분은 진짜 시간을 쪼개고 쪼개서 하시는 거잖아요. 대단하다는 생각도 들면서 동기부여가 됐어요. 우스갯소리로 인디스쿨이 자기 드라이브라고, 첨부파일 용량이 늘어나서 기쁘다고 하시는데 그게 너무 멋있었어요.

열심히 만든 건데 왜 그냥 올리냐고 많이들 그러시더라고요. 그런데 자발적으로 봉사하고 참여하는 게 인디스쿨다운 모습이라고 생각해요. 다른 선생님들도 누가 시키지도 않았는데 자료 올려주시고 댓글도 달고 하시잖아요. 보통 일은 누가 시켜서 하기 마련인데, 인디스쿨에서는 자발적으로 참여하는 문화가 있죠. 그래서 그런지 요즘은 인디스쿨 바깥에서도 공유하는 문화가 생긴 것 같아요. '좋은 자료 있어서 올려드려요', '이건 미술 시간에 활용하세요' 하면서 교사 카톡방이나 메신저에 올려주세요. 그런 분위기가 있으니까 학교 안에서도 새로운 커뮤니티처럼 과목 나눠서 자료 만들고 나누게 되더라고요. 요즘에는 주변에서 같이 프로젝트 해보자는 이야기도 들려오고, 저도 꾸준히 활동을 할 수 있을지는 모르겠지만 좋은 게 있으면 계속 올리고 싶어요.

인디스쿨은 자신감을 키워주는 공간인 것 같아요. 임용 첫해는 자신감이 바닥이었거든요. 신규교사라 아무것도 모르는데, 제가 다 잘못하는 것 같아 당황했었죠. 실제로 첫 번째 학교에서는 사직을 했어요. 경기권에서 재직하다 사직하고 서울권 임용고시를 다시 치러서 근무하고 있는 거예요. 교대에서 열심히 공부해서 학점도 좋았지만 막상 학교에 가니까 제가 수업을 잘하는 것 같지도 않고 행정 일을 잘하는 것도 아니고. 그런데 다시 학교에 들어왔을 때 인디스쿨에 수업 자료를 올리고 칭찬을 받으니 교사로서 자신감이 좀 생겼어요. 사실 선생님들 사이에서는 칭찬이라도 옆 반을 평가하는 게 실례인 분위기가 있잖아요. 교실은 교사 혼자만의 사무실이라는 생각이 있으니까요. 이렇게 칭찬받을 기회가 없는데 칭찬받고 인정받으니까 좋아요.

5장

정
신

재미와
헌신의
알고리즘

인디스쿨은 닫힌 교실 문을 열겠다는 마음들이 모여 펼쳐나간 온·오프라인 교사 커뮤니티다. 섬처럼 지내던 사람들이 만나, 각자가 가진 것을 나누며, 서로의 성장을 돕고, 교사와 교사 사이 담을 허물어가는 여정은 그 자체로 하나의 사회 운동이었다. 지난 세월, 소통과 성장을 갈망하던 이들이 계속해서 학교 밖으로 쏟아져나왔고, 모두가 주인인 커뮤니티에서 저마다의 '인디스러움'을 드러내며 주인으로서 공동체에 기여했다. 어느새 이 여정을 시작한 지도 20여 년이 흘렀고, 그 사이에 인디스쿨은 꿈꾼 적 없는 규모와 역사를 지니게 되었다. 인디스쿨은 과거에 존재했던 공익 프로젝트가 아니라 오늘까지 지속되는 국내 최대 교사 커뮤니티다.

교사에게 필요한 일을 공감과 참여를 바탕으로 펼쳐나갔다지만, 대표를 비롯해 구심점이 연거푸 바뀌는 공동체가 짧지 않은 세월을 두고 존속하는 일은 조금 미스터리하다. 4장에서 살펴본 인디스쿨의 그늘을 헤아려볼 때 더욱 그렇다. 인디스쿨은 그간의 굴곡과 현재 진행형인 어려움에도 지금까지 그 원형을 나름대로 보존하며 운영하고 있다. 물론 시절을 지나며 공동체 생김새와 끈끈함의 정도, 운영진의 의사결정 방식과 프로젝트에 투입하는 에너지 비율 등이 달라졌고, 이전보다 좋은 영향을 낳는 일도, 이전만 하지 못해 아쉬운 모습도 있다. 그렇지만 정부나 기업에 귀속되지 않고 오직 교사의 후원으로 운영되며, 참여하는 사람 모두가 시간과 재능을 자발적으로 나누어 서로의 성장을 돕는 교사 공동체라는 점에서 인디스쿨은 한결같다. 어떻게 그 정체성을 훼손하지 않으며 20년이 넘는 세월을 지나올 수 있었을까?

염원하는 만큼 주인이 된다

인디스쿨 구성원 대부분은 '인디스쿨이라는 단체'의 번영과 영원한 안녕을 바라지는 않는다. 인디스쿨이 유명해지고, 부를 축재하고, 권력을 가지는 것을 바랄 이유가 누구에게도 없다. 모두가 주인인 한편 누구도 주인이 아니기에 그렇다. 어떤 운영진은 인디스쿨이 사라져도 괜찮은 세상이 온다면 참 좋은 일 아니겠냐는 말을 하기도 한다. 관여도가 높고 오랜 세월 기여한 사람일수록 오히려 '인디스쿨 조직'보다는 현장에 관심이 있다. 회원 대부분이 인디스쿨 없이도 교직 사회나 학교에서 충분한 연결과 소통이 일어난다면, 대나무숲에 쏟아내지 않고는 견디지 못할 일이 줄어든다면, 학교라는 조직 안에 함께 수업을 준비하고 지식을 나누며 서로의 성장을 돕는 일이 보편해진다면, 신규교사가 학교에 적응하고 정착하는 데 많은 개인과 단체가 나서서 지원한다면, 그런 이유로 인디스쿨을 찾는 이가 점차 줄어들어 결국 사라지는 것은 오히려 기쁜 일이라고 생각할 것이다.

2장에서 2000년 당시 교실 문을 열자는 말에 수많은 청년 교사가 뜨거워질 수밖에 없던 배경을 설명했다. 마땅히 배울 곳이 없는 환경, 수직적인 조직문화, 혼자서 너무 많은 교과와 업무를 해내야 하는 당대 상황을 이야기하면서 조금 착잡하기도 했던 것은 '과거에는 그랬다'라고 매듭짓기에는 오늘도 이겨내야 하는 교직 내 한계가 적잖이 존재하는 탓이다. 세월이 지나고 많은 것이 나아졌지만, 변화의 보폭과 속도 차이로 인해 20년 전 외롭게 지내던 초등교사와 별반 다르지 않은 어려움을 겪는 신규교사가 여전히 있음을 인디스쿨 게시판에서 확인하게 된다. 달라지지 않는 현장이 교사를 힘들게 하기도 하지만, 과거로부터 너무 많이 변한 것들이 교사를 힘들게 하기도 한다. 시대적 변화, 계속해서 들이닥치는 새로운 요구가 만들어내는 과제 앞에서 좌절하고 두려워하는 교사도 많다. 교사들이 당면한 과제는 과거와 같은 모습으로, 또 다른 모양으로 여전히 존재한다. 이러한 맥락에서 "인디스쿨 없었으면 어쩔 뻔했어요", "인디 없이는 못 살아"라는 말은 인디스쿨 안에서 20년째 유행하고 있다. 인디스쿨을 둘러싼 많은 사람들은 이곳이 아직 사라져서는 안 된다고 생각한다. 인디스쿨에 공헌해온 사람들은 인디스쿨을 통해서 무엇을 해결했다는 감각을 갖기보다 오늘도 더욱이 교실 문을 열어야겠다고 마음먹고는 한다.

> "우리나라에서는 어떤 안타까운 사고가 생기면 안전 교과가 생기고, 이세돌이 AI에 패배하면 갑자기 학교로 인공지능 교육이 들어와요. 그렇게 끊임없이 학교에 새로운 요구를 하게 되는데 이것을 교사 혼자 감당하는 건, 그 개인의 역량만으로 모든 교육을 해내기는 불가능하죠." — **소금별**

평소에도 그 소중함을 실감할 수 있지만, 최근에는 "인디스쿨이 없었더라면… 상상도 하고 싶지 않아요"라는 말이 더 많이 터져 나오는 시절을 지나고 있다. 2020년, 코로나바이러스로 인해 개학하지 못하는 사태가 발생하고 이어 '온라인 개학'이라는 낯선 환경에 처했을 때, 모두가 참 혼란스러웠다. 제도와 지원책이 마련되는 속도는 교사가 학생을 걱정하는 마음에 발맞추지 못했고, 그해 3월에는 학생과 어떻게든 연결되고자 하는 교사 개인이 스스로 학습 대안을 수립하고, 가정 학습 콘텐츠를 만들고, 저작권을 조사하고, 학생에게 온라인 학습 매뉴얼을 제공하고, 각종 장비도 구비했다. 마음만 앞섰지 도구와 미디어 활용이 낯설어 어려움을 겪는 교사도 많았다. 같은 마음을 가졌더라도 세대에 따라, 관심사에 따라, 개성과 특기에 따라 온라인 개학을 맞는 모습에 격차가 상당할 수밖에 없었다.

이때 온라인 콘텐츠, 영상, 미디어 분야에 역량이 있는 교사들이 자발적으로 크고 작은 연수를 열고, 비대면 수업에 도움될 만한 정보를 정리해 배포했다. 인디스쿨 공식 교사모임 '몽당분필', '참쌤스쿨' 등의 구성원은 인디스쿨 게시판에 모인 사람이 마치 같은 학교 동료인 것처럼 학습꾸러미와 계기교육자료 등을 제작해 나누어주었고, 인디스쿨은 온라인 개학과 행정 지침에 관한 수많은 질문과 답변, 가정 학습과 화상 수업 관련 자료가 모이고 흩어지는 허브가 되었다. 교육부에서 내려오는 지침을 게시판에 모아 해석하고, 한 번도 대면한 적 없는 학생에게 '뭐라도' 가르치기 위해 함께 머리를 쥐어 짜내고, 등교 개학 이후 체온계 구매 정보를 교환해가면서, 그렇게 팬데믹을 맞았다. 인디스쿨이 아니었다면 이 사태를 더욱 처참하게 겪어야 했을 거라고 말하는 교사가 많다.

인디스쿨은 고된 교직 생활의 구원투수이자 오아시스로 활약하기도 하고, 교사의 대나무숲, 자료실, 연수원 등으로 기능한다. 동시에 대한민국 초등교사의 습관적 온라인 커뮤니티, 포털이기도 하다. 이따금 서버가 불안정하다 정상으로 돌아올 때면 메인 화면 피드를 비롯한 여러 게시판에서 "인디야 힘내", "드디어 살 것 같네요"라는 메시지가 쏟아지고, 접속 장애로 금단 현상에 시달렸다고 말하는 회원이 많다. 수많은 교사가 매일 학교에서의 일과를 인디스쿨과 함께 시작하기 때문에, 특별한 용무가 없는 사람에게도 인디스쿨 접속 문제는 큰 답답함을 안긴다. 어떤 면에서는 포털 사이트나 일반적 온라인 커뮤니티에 접속할 수 없는 상태보다 더 불편할 수도 있다. 접속이 잘 되지 않을 때 대체재가 특별히 없기 때문이다. 자신과 같은 초등 교사로 오늘 하루의 생방송을 준비하는 그 사람, 구구절절 설명하지 않아도 충분히 공감하는 동료와 언제든 연결될 수 있는 여타의 공간이 아직은 충분 치가 않다.

인디스쿨이 있어서 다행이라는 생각이 강해질 때마다, 인디스쿨이 사라 지지 않기를 바라는 염원이 깊어질 때마다, 각 사람은 이전보다 더 인디스 쿨의 주인이 된다. 이 공동체가 자신에게 갖는 의미가 크기 때문에, 이곳이 자신에게 중요한 공간이기 때문에 가만히 있지 못하게 된다.

소중한 공간을 잃고 싶지 않다는 동기에서 사람들은 저마다의 방식으 로 운영을 돕는다. 닉네임 뒤에 숨어 커뮤니티를 휘젓는 공격적인 발언, 황 금별 교사를 향한 무례한 요구는 '주인 된 회원'에 의해 제지되는 일이 다반 사다. 끝나지 않는 댓글 싸움을 이어가는 회원, 인디스쿨을 개인 브랜드 홍 보의 장으로만 이용하는 회원에게는 "인디에서 이러지 맙시다"라는 댓글도 흔하게 달린다. 운영진에게만 책임을 돌리지 않고, 자기 공간을 지키기 위 해 주인들이 나서는 것이다. 게시판 모니터링팀의 정신적, 시간적 어려움 호소나 기술연구팀의 밤샘 작업 소식에는 수많은 마음이 위로의 메시지를 보내온다. 그들도 '주인 된 회원'이다. 서버가 휘청일 때면 "인디가 힘든가 봐요"라며 일시 후원금을 보내오는 회원도 있다. 그러면서 후원금 외에 다른 것으로 기여하지 못해 미안하다고 말하기까지 한다. 공동체 구성원의 염원은 구성원 한 사람 한 사람을 주인으로 만들고, 주인이 자기 터전의 존속을 위해 자기만의 방식으로 기여하면서, 그렇게 인디스쿨은 유지되어왔다.

염원의 무게를 짊어진 사람들의 수고와 헌신

인디스쿨이 존속하기를 바라는 사람들 사이에는 조금 더 큰 책임을 떠안은 사람들이 있다. 바로 운영진이다. 자기 자신을 비롯해 모두가 지켜내고 싶어 하는 공간이기 때문에 인디스쿨이 변질되거나 사라지지 않도록 애써야하는 사람들. 그들은 '염원의 무게'를 짊어졌다. 운영진은 시켜서 하는 일이아니며, 다른 회원과 마찬가지로 자발적 공헌의 원리로 일하고, 당연히 보수를 받지 않는다. 어떤 운영진이 책임을 내려놓고자 할 때 그만두지 못하도록 강제할 근거도 없다.

운영진은 가장 자발적인 상태에서 인디스쿨 운영에 책임을 진다. 누구도 시키지 않은 일에 스스로 책임을 부여하고, 때로는 이 책임에 짓눌린다. 게시판 모니터링팀 구성원은 학교 업무가 많아서 회원의 신고 접수가 밀릴 때면 인디스쿨에 미안해진다. 연수팀장은 학교 부장 업무와 육아, 그리고 인디스쿨 일을 병행하면서 새로운 연수 기획에 더 많이 관심을 기울이지 못해 늘 아쉽다. 기술연구팀장은 오늘도 서버 이용료를 확인하면서 비용을 더 효율화할 수는 없을지 궁리한다. 기술연구팀 사람들은 완벽할 수 없는 홈페이지를 향한 온갖 불만과 아이디어가 수시로 쏟아지는 현상에 부담스러워하기도 한다. 대표는 지금 이 시대에 인디스쿨은 어떤 역할을 해야 할지, 교사에게 어떤 도움을 주는 공동체로 나아갈 것인지 끊임없이 고민한다. 함께 일할 사람을 늘려야 하지만, 더 많은 사람과 함께한다는 것은 관계와 시스템 구축에 더 많은 시간을 내야 한다는 뜻이기에 오늘도 골머리를 앓는다.

연수를 만들고, 행사를 기획하고, 홈페이지를 새로 단장하고, 교사 모임을 운영하는 등 전국의 동료와 교실을 위해 무언가를 생성하는 일은 운영진이 해야 할 일 중 일부에 지나지 않는다. 인디스쿨 운영진의 일은 일반 회원에게는 잘 보이지 않는 일로 이루어져 있다. 후원금 관리, 세금 납부 등 돈과 관련된 일, 게시판을 모니터링하고 게시글 안에서 드러나는 갈등을 조정하고 커뮤니케이션하는 일, 헬프데스크에 올라오는 문의와 민원에 응대하는 일, 오프라인 공간을 관리하고 운영하는 일, 인디스쿨 홈페이지를 유지하고 보수하는 일, 외부에서 밀려오는 협력 요청 속에서 진행할 것을 가리고 소통하는 일 등 14만 규모의 커뮤니티는 홈페이지 뒤에 숨겨진 수많은 일을 해결해야 운영이 가능하다.

이 일을 고작 열 명 남짓이 맡다 보니, 더 많은 사람이 운영 인력에 투입되어야 한다는 생각에 미친다. 하지만 어떠한 외적 보상 없이 보람과 재미, 자발성과 선량함에 기대어 운영해야 하고, 교사라는 첫째되는 직업이 따로 존재하는 조직이기에 운영 인력을 늘릴 엄두를 쉬이 내지 못한다. 십수 명에게 동기를 부여하고 유기적으로 움직이는 일도 쉽지 않아서 그렇다. 자원활동가에게 동기부여하고 조직하는 일을 배운 일이 없어 섣불리 운영 인력을 늘리기도 어렵다. 적은 수의 사람이 많은 일을 해내야 하는 버거운 상황 속에서, 인디스쿨 운영진은 상시 근로자로 구성된 사무국을 만들고, 운영진 각자가 팀을 꾸려 구성원에게 일을 위임하고, 모두 함께 지치지 않고 일하는 방법을 궁리하면서 나름대로 헤쳐나가고 있다.

운영진은 프로젝트 단위로 일정 기간 활동하는 팀원을 빠르게 영입해 일을 해나가기도 하지만, 새로운 운영진을 뽑을 때는 만전을 기하는 전통을 오랜 시간 유지하고 있다. 만장일치가 필요했던 시절보다는 느슨해졌다고 볼 수도 있지만, 여전히 새로운 운영진 후보를 신중하게 검증한다. 이때의 신중함은 최고로 능력 있는 사람을 선발한다거나 현역 운영진 마음에 드는 사람인지를 검토한다는 의미는 전혀 아니다.

다만 '사심 없이 헌신할 수 있는 사람'인지 시간을 두고 지켜본다. 이는 인디스쿨을 지켜내는 운영진만의 방식이다. 의사결정하는 사람이 사욕을 지닐 때 인디스쿨 전체가 하루아침에 엉뚱한 방향으로 흐를 수 있음을, 동료 교사들의 염원을 저버린 채 어느 날 폭삭 무너질 수 있다는 점을 명심하면서 새로운 운영진에게 사심 없음과 순수한 헌신을 요청한다. 지난 시간 인디스쿨 운영진을 거쳐 간 선배들이 헌신과 자발성, 사심 없음의 본을 보였다. 자기 시간을 쏟아부어 공동체를 가꾸고, 위기에 처했을 때 타협하지 않으며, 어떠한 권한도 주장하지 않으며 떠났다. 현재 운영진은 물려받은 유산을 훼손해서는 안 된다는 책임감과 함께 역대 운영진이 지켜온 결을 유지하고 있다.

반복해서 이야기하지만 인디스쿨 커뮤니티에는 자료와 수업 지식을 기꺼이 나누며, 다른 사람을 보듬고 격려하는 언어를 구사하는 회원뿐 아니라 운영진의 땀, 눈물, 제재가 필요한 회원도 많다. 일반 온라인 커뮤니티와 마찬가지로 익명성에 기대어 분란을 조장하고 타인에게 아픈 말을 하고 동의할 수 없는 언행을 이어가는 사람들이 있다. 교사로서 완전히 부적격한 자는 아닐지 몰라도, 동료애를 느끼기 힘든 그런 사람까지 인디스쿨은 품으려 노력한다. 고민과 상처가 심할 때는, 인디스쿨은 학교도 아니고 공공기관도 아니고 '그저' 커뮤니티 아니겠느냐며 대의를 함께 지키는 사람들만이 공동체를 이루어도 되지 않을까 생각하기도 한다. '그런 사람들'은 떼어버리고 말이다.

한편, 누군가 소위 '문제적 회원'을 향한 강력한 처벌과 배제를 주장하는 의견을 낼 때면 다시 생각해보자고 말하는 사람이 언제나 있었다. 우리까지 외면하면 그 교사의 교실은 어떻게 하느냐고, 아이들은 무슨 죄가 있느냐는 말에 모든 결정은 조심스러워진다. 교실을 염려하는 마음이 있기에, 인디스쿨에서는 회원 제재를 자동 시스템으로 관리하는 웹사이트에서는 상상도 못 할 일이 벌어진다. 매번 그렇지는 못할지라도 운영진은 특정 회원을 개인적으로 회유하느라 장시간 마음을 쓰는 일이 잦다. 커뮤니티의 존립을 위협하거나 욕설을 반복적으로 퍼붓는 등 몇몇 경우에는 가차 없는 제명을 하기도 하지만, 이상한 말을 많이 한다는 이유로 신고당하는 회원을 자주 감싸안는다. 사람들의 마음을 힘들게 하는 회원까지도 모두의 동료이자 우리 초등교육을 만들어나가는 사람임을 부정할 수 없기 때문에 그렇다. 그 사람까지도 바로 서야 인디스쿨이 내거는 '아이들이 행복한 세상'에 가까워지는 것이라서 그렇다. 교실이, 학생이 중요한 만큼 운영진이 짊어지는 짐도 무겁다.

사람들의 자발적인 헌신에 의해 유지되는 공동체를 지속하는 일은 상당히 좁은 길이다. 교사의 자료와 경험 공유에 많은 인센티브를 제공하는 웹사이트, 멤버십 커뮤니티 서비스의 사례를 들어 인디스쿨의 운영방식이 지나치게 고지식하지 않으냐는 이야기를 여기저기서 들을 수 있다.

지난 20년간 게시판 갈등과 재정적 위기를 만날 때마다 적잖은 회원이 유료화 아이디어를 제기해왔고, 공동체 품위에 맞지 않은 회원을 배제하자고 요청해왔다. 이러한 맥락에서 멤버십 서비스라는 시대 풍조에 편승하고, 조건에 맞지 않는 회원은 배제하는 등 마음고생을 덜 할 수 있는 선택지로 마음이 향하기 십상이다. 하지만 그럴 때 운영진은 이 공동체가 모두를 위한, 누군가의 헌신으로 지켜진, 다음 주자에게 온전하게 이양해야 하는 곳임을 생각한다.

그렇게 인디스쿨 정신을 지키면서, 운영진은 전국에 존재하는 랜선 동료, 그 동료 교실의 아이들을 미약하게나마 책임진다. 인디스쿨이 사라지지 않기를 바라는 사람들의 염원을 등에 업고, 순수한 공동체라는 유산에 뻐근한 부담을 느끼며, 모든 아이가 행복하기를 바라는 마음으로 인디스쿨 구성원은 헌신해왔다. 이것이야말로 인디스쿨이 훼손되지 않게 하는 가장 강력한 힘 아니었을까.

재미있지 않다면 인디가 아니다

인디스쿨이 사라지지 않기를 바라는 사람들이 자발적으로 기여하고, 중앙 운영진을 중심으로 인디스쿨 정신을 지켜온 일이 지금까지 지속하는 중요한 힘으로 작용했지만, 여기에 한 가지 더 빼놓을 수 없는 요소가 있다. 그 것은 '재미'다. 인디스쿨은 재미 덕분에 여기까지 왔고, 재미가 없다면 지속할 수 없는 커뮤니티다. 만약 인디스쿨이 사람들의 선한 재미를 장려하는 공간이 아니라 오직 헌신만을 요구하는 공동체였다면 어느 순간 사라졌을지 모른다. 아직 인디스쿨이 필요하다 해도 말이다. 이렇다 할 외재적 보상 없이 오직 당위와 책임감만으로 사람들이 지속해서 시간과 마음과 물질을 쏟기는 현실적으로 어렵다. 주요 구성원의 소진 문제를 감당할 방법이 없다. 분명한 마음의 보상이 있을 때 사람들은 오랜 시간 더 열심히, 더 자발적으로 기여하기 마련인데, 인디스쿨에서는 그 보상이 바로 재미다. 개인의 성장, 자발적 나눔의 기쁨과 효능감, 소통의 즐거움을 포함하는 광의의 의미로서의 재미.

인디스쿨은 태생부터 재미가 중요한 조직이었다. 창립자는 인디스쿨을 만들고 가꾸는 일이 재미있었다고 회상하고, 후에 인디스쿨을 함께 만들어 간 이들도 활동한 시기를 재미있던 시절이라고 회상한다. 각종 관심사에 기반한 교사모임, 지역을 기반으로 모였던 지역 인디는 '나와 비슷한 생각을 하는 사람이 있구나!' 하며 공감하는 재미가 충만한 모임이었고, 인디 연수는 평가 제도나 필수 이수라는 책임에서 벗어나 교실에서 당장 활용할 수 있는 현장 지식을 자발적으로 배우는 재미를 안겼다. 인디스쿨 연수는 강사에게도 나눔의 재미를 느끼게 했고, 황금별 교사를 비롯해 인디스쿨에 자료와 글을 올리는 교사들은 댓글로 칭찬받는 재미, 누군가에게 도움이 되는 재미를 누리며 활동을 지속하고 있다. 이렇게 재미있게 활동하면서 인디스쿨 사람들은 자신의 성장을 경험한다. 랜선으로 연결된 동료에게 더 좋은 것을 나누기 위해 학습하는 가운데, 오히려 자신이 성장하더라는 증언은 인디스쿨 도처에 흔하다. 이는 비단 자료실과 연수에만 국한된 공식은 아니다. 자료실 밖 중앙운영진의 활동에서도 이 공식은 얼마든지 적용된다.

기술연구팀 **개자봉**은 개인 홈페이지와 학과 서버를 다룬 경험을 토대로 재능을 기부할 겸, 재미있는 기술을 배울 수 있겠다는 기대로 인디스쿨 기술 담당자에게 트위터^{twitter} 다이렉트 메시지를 보내 합류한 운영진이다. 그는 운영진에 들어와 팀으로 일하는 방법을 배웠고, 기술연구팀장이 된 후에는 맡은 일을 더 잘하기 위해서 일반 스타트업, IT 기업에서 사용하는 방식과 외국 사례에 주목하면서 인디스쿨에 맞는 기술과 일 방식을 차용해왔고, 그 여정에서 개발자로서의 역량을 키웠다. 기술연구팀은 인디스쿨 웹사이트를 유지하고, 통합검색 기능을 개발하는 등 지속적으로 개선하고, 원하는 기능을 마음껏 구현할 수 있도록 지금의 개발 환경을 구축하는 과정에서 장기간에 걸쳐 학습했고, 성장했다. **개자봉**은 기능 추가와 개선이 어렵던 과거 개발 환경에서 추가 개발이 쉬워지는 환경으로의 웹 이사 과정, 일명 '합정 프로젝트'를 진행하며 라라캐스트^{laracasts}라는 개발 관련 영어 자료를 팀원에게 번역해 공유했다.

개자봉의 선임 팀장이었고 지금은 기술연구팀 구성원인 **리누범**은 **개자봉** 때문에 인디스쿨에 발이 묶였다고 툴툴대면서도 **개자봉**이 번역해 공유한 자료를 대여섯 번씩 보면서 누구보다 열심히 학습했다. **개자봉** 말에 의하면 **리누범**은 "교과 자료 분류의 PM을 담당하게 될 정도로" 역량이 강화되었다. 성장에 필요한 고통은 당연히 수반되었겠지만, 누가 봐도 **리누범**은 그 여정을 진심으로 즐겼다. **리누범**은 이렇게 말했다.

"퇴근하고 집에 와서도 계속 공부하는 게 스스로 신기했어요. **개자봉**이 올린 강의를 보면서 집중하는 시간이 재미있더라고요. 그 순간만큼은 학교에서 받은 스트레스를 잊어요. 예전에는 스트레스를 떨치려고 영화를 보거나 했는데요. 볼 때만 즐겁지 다음 날이 되면 좀 아쉬웠어요. 나만의 시간을 보냈는데도 의미 없는 시간을 보낸 것 같고 그렇더라고요. Laravel[35] 공부하면서는 의미가 있는 거예요. 잠을 못 자더라도 제 머리에 지식이 남는 거잖아요. 차츰 승진도 생각해야겠지만 요즘은 승진보다도 내가 즐기는 개발 시간을 늘려보자는 마음이에요."

"저는 '나 인디스쿨에서 서버 관리해' 이런 걸 말하고 싶지도 않고, 제가 서버를 관리한다는 사실에 큰 의미를 부여하고 싶지 않아요. 그냥 즐기는 거죠. 내가 만든 서비스를 사람들이 이용한다는 게 즐겁잖아요."

---

35 라라벨(Laravel)은 자유, 오픈 소스 PHP 웹 프레임워크의 하나로, 테일러 오트웰이 개발하였으며 모델-뷰-컨트롤러(MVC) 아키텍처 패턴을 따라 웹 애플리케이션을 개발하기 위해 고안되었다. 위키백과. (2021). "라라벨". https://ko.wikipedia.org/wiki/라라벨.

여담이지만 **리누범**은 영어에 자신 없다는 말을 종종 하는데, '합정 프로젝트' 여정에서 꾸역꾸역 영어 자료를 읽는 중에 자녀로부터 "아빠, 영어책 보는 거야? 이런 공부도 해야 해?"라는 말을 듣기도 했다. 그는 딸에게 열심히 자기개발하는 모습을 보여주었다는 생각에 보람과 뿌듯함을 느꼈다고 한다. 인디스쿨 자원활동에서 비롯되는 기쁨이 이런 모양으로도 가능하구나 싶다.

인디스쿨 운영진, 파워 업로더, 연수 강사 등으로 활동하는 일은 왜 재미있을까? 우선 인디스쿨 구성원이 하는 일은 자발성을 기초로 하며 누군가의 지시에 의해 움직이는 일이 아니라는 점에서, 학교 조직을 포함한 기성 조직에서의 업무와는 그 성격이 다르다. 연수를 기획·운영하고, 홈페이지를 개선하고, 행사를 만들고, 자료를 공유하고, 다른 사람을 격려하고, 슬픈 마음을 위로하고, 물음에 답하는 모든 일이 전국의 동료를 위한 일이기에 '선한 영향력'의 즐거움을 안긴다. 인디스쿨에 들이는 시간은 하달된 업무를 이행하거나 어떤 의미를 갖는지 알기 힘든 일을 하는 시간이 아니라 주도적으로, 주체적으로, 의미를 이해하면서 기여하는 시간이기에 인디스쿨에서의 활동은 공익적 자아 실현에 가깝다.

이렇게 말해도 괜찮을지 모르겠지만, 학교라는 조직에 속한 사람들이 인디스쿨을 유난히 재미있게 느끼는 데는 다 이유가 있는지도 모른다. 지역과 학교 풍토, 관리자에 따라 조직문화가 많이 다르겠지만, 대부분의 학교는 교사 개인의 뜻과 상관없이 매년 다른 업무를 할당한다. 개인의 자발성과 창의성보다는 책임과 수행이 강조되는 학교라는 조직에서, 그들은 오직 학생과 수업을 바라보며 교사직을 이어나간다. 교육의 효과는 단시간에 측정하기 어렵기에 효능감을 느끼기도 어렵다. 이러한 환경에 놓여 있던 교사가 교육적이면서 창의적일 수 있는 공간에 놓이면, 자발적으로 무언가 해보고 싶은 마음이 들게 되고, 진정한 자아 실현의 재미를 비로소 경험하는 것은 아닐까. 이를 잘 보여주는 기술팀 **개자봉**의 글 하나를 소개한다.

합정 프로젝트와 인디스쿨 통합검색

얼마 전 세르보cerveau프로젝트에 대해 글을 쓴 적이 있다. 세르보는 인디스쿨의 새 버전을 직접 Laravel 기반으로 개발하는 프로젝트이다. 우리에게 필요한 모든 기능을 빠르게 만들고 AWS에서 사용하고 있는 인프라 환경에 최적화하는 것이 목표이다.

하지만 처음부터 모든 것을 하나씩 쌓아 올려야 하기 때문에 시간도 오래 걸리고 부담이 많이 되는 것이 사실이다. 지금은 이 프로젝트를 위해서 개발보다는 연구에 더 많은 에너지를 쏟고 있다. 그러던 와중에 선생님들의 요청을 많이 받았던 첨부파일 일괄 다운로드 기능 개발과 통합검색 개편 작업을 동시에 진행하게 되었다. 그리고 개발 플랫폼은 당연히 현재 연구를 많이 하는 Laravel로 정했다. 그러다 보니 이미 인디스쿨의 XE와 연동되어 돌아가는 인증센터 외에도 통합검색, 일괄 다운로드 등 Laravel 기반 서비스만 3개로 늘어나게 되었다.

그러다 문득 '이걸 다 하나로 합치면 어떨까?' 하는 생각이 들었다. Laravel은 업데이트 주기가 빠르기도 하고 특히 Breaking Change가 발생하는 버전 업데이트 때는 나름 신경도 많이 써야 한다. 게다가 모델, 레이아웃,

디자인 등도 많이 중복되기 때문에 이것을 각각 유지하는 것은 비합리적이다. 또 인증센터 외에는 실제로 운영하는 서비스가 없기 때문에 프로덕션 단계로 공개하기 전에 미리 합치면 더 좋을 것 같았다. 이렇게 Laravel 앱들을 하나로 합치는 프로젝트에 이름을 붙이면 더 재미있을 것 같아 고민하기 시작했다. 예전에 인디스쿨이 IDC에서 서버를 운영할 때는 구매한 순서대로 영문 알파벳순으로 시작하는 과일이나 음식 이름을 붙였었다. Apple, Banana, Cherry, Dewberry, Espresso, Fig, Grape, Hotdog, Icecream, Jelly, Kiwi, Lemon, Macadamia, Nutella, Olive. 그리고 마지막에는 Pineapple이었다. MacOS는 예전에 고양잇과 동물 이름을 붙이다가 최근에는 본사가 있는 샌프란시스코 주변의 공원이나 동네 이름을 붙인다. 그러다 이 프로젝트 이름을 인디스쿨 공간이 있는 '합정'이라고 지으면 어떨까 하는 생각이 떠올랐다. 부랴부랴 '합정'이라는 이름에 어떤 유래가 있는지 찾아봤다.

합정동 위키 문서를 찾아보니 현재 합정동 일대가 예전 양화나루 부근의 마을이었는데 '조개 우물'이라고 불리는 우물이 있어 '합정'이라는 이름을 사용하게 되었다고 나왔다. '조개 합'자에 '우물 정'자라니 생각지도 못한 조합이었다. '조개 우물'이라는 뜻을 그대로 쓸 수는 없으니 한자를 좀 바꿔 '바르게 합친다'는 의미로 합정合正을 생각해봤다. 여러 개의 Laravel 앱을 바르게 합쳐야 하는 프로젝트니까.

합정 프로젝트는 단순히 세 가지 역할을 하는 Laravel 앱을 하나로 합치는 데 그치지 않는다. 현재 인디스쿨의 DB 구조를 그대로 이용하면서도 이미 사용 중이거나 새롭게 필요한 여러 기능을 Laravel에서 구현해서 세르보 프로젝트로 가기 전 가교 구실을 하게 될 것이다. 예를 들어 회원 가입, 첨부파일 업로드/다운로드, 게시판, 알림센터 등의 기능을 합정 프로젝트를 통해 구현할 수 있다. 이렇게 하면 세르보로 넘어가기가 훨씬 수월하다.

합정 프로젝트의 첫 번째 도전 과제는 통합검색 개선이다. 통합검색은 2015년에 처음 선보인 이후 최근까지도 XE의 통합검색 모듈을 약간 수정해서 사용하고 있었다. 사실 모듈보다도 Elasticsearch 인덱스를 바르게 생성하는 것이 핵심적인 일이었다. 개발 이후 우여곡절을 겪으면서 잠시 서비스를 중단했던 적도 있었는데 인디스쿨 서버를 AWS로 이전한 직후 복구했다.

그런데 복구를 하는 시점에 우리의 백앤드 언어 중 하나인 PHP의 버전을 5.6에서 7.1로 업그레이드 했고 이 때문에 기존의 통합검색은 쓸 수가 없는 상황이 되었다. 통합검색을 되살리기 위해서는 Elasticsearch도 버전을 올려서 마이그레이션을 해야 했는데 그사이에 검색 쿼리를 호출하는 방식이나 DB에서 Elasticsearch로 데이터를 인덱싱하는 작업에도 큰 변화가 있었다. 서버 이전과 함께 동시에 많은 일을 진행하다 보니 통합검색에만 집중할 수가 없었는데 그게 화근이었다. 이후 공개된 통합검색은 검색어의 형태소를 분리하지 않고 검색을 했고 또 검색어의 앞부분이 반드시 일치해야 검색 결과에 나오도록 설정되었기 때문에 검색어에 조사가 붙거나 띄어쓰기가 다르면 검색 결과에 포함되지 않거나 전혀 다른 검색 결과가 나오는 등의 문제가 있었다.

그러다 지난 6월, AWS 이전 1주년 기념 설문조사를 하면서 건의 사항을 받았는데 그중에서도 통합검색을 개선하는 것이 선생님들의 가장 큰 요구

사항 중 하나라는 것을 알게 되었다. (자세한 내용은 '통계로 살펴보는 인디스쿨 - AWS 이전 1주년을 기념하며' 참조) 통합검색이 좀 불편하다는 것은 알고 있었지만, 이 정도로 많은 선생님이 개선을 요구하는지는 몰랐다. 그래서 이번 기회에 뿌리를 뽑고자 Elasticsearch에 대해 연구도 하면서 본격적으로 개발에 착수하였다. 이 과정에서 얼마 전 우연히 온라인에서 다시 만나 뵙게 된 고등학교 컴퓨터 동아리 선배님 — 지금은 카카오에서 근무 중인 — 의 도움도 받았다.

첫 삽을 뜬지 채 2주가 되지 않아 새로운 통합검색을 오픈하게 되었다. '이럴 거면 진작 하지'라고 생각할 수도 있겠으나 그동안 정말 열심히 피땀 흘려 함께 연구하며 내공을 쌓은 덕분에 이렇게 금방 마무리할 수 있었다고 생각한다. 눈치가 빠르거나 컴퓨터에 관심이 있는 분이라면 통합검색을 할 때의 URL이 hapjeong.indischool.com이라는 것을 발견하였을 것이다. 이 주소로 접속을 해보면 우리(?)의 결연한 의지가 나타난다고 한다. 합정 프로젝트의 다음 목표는 '첨부파일 일괄 다운로드' 개발이다. 우리의 결연한 의지처럼 인디스쿨은 계속 앞으로 나아갈 것이다.

— 2019.07.01, **개자봉**

재미라는 불씨를 꺼뜨리지 않기 위한 일

사람들의 염원이 막중한 책임을 만들어내고, 책임감 있는 헌신의 동력이 재미라면, 재미를 꺼뜨리지 않기 위한 일도 필요하다. 기술연구팀이 이러한 학습과 성장, 재미의 공동체를 이루기까지는 역대 대표의 지원 사격이 있었다. 반복적으로 서버가 먹통이 되고 기술연구팀이 애를 먹는 상황에서 새 서버 구입을 망설이는 토론이 계속되는 중에, 3대 대표 **지니쌤**은 "기계가 할 일은 기계가 하고 사람이 할 일은 사람이 하자"라면서 새 서버 구입을 지지했다. 남은 운영회비 전액에 가까운 돈이 필요한 일이었다. 현재도 조직은 기술연구팀의 새로운 시도와 학습, 연구를 전폭적으로 지원하고 있다.

기술연구팀 이야기를 길게 했지만 다른 팀에도 비슷한 흐름이 있다. 교사문화팀은 구성원의 다양한 경험, 문화 클래스 수강 등을 장려하면서 자신이 즐긴 것을 다른 교사에게 소개하는 재미와 보람을 경험해왔다. 연수팀 역시 강사를 물색하기 위해 팀 구성원이 다양한 연수를 들어보는 것을 지원하고, 연초에 한 해 연수를 기획할 때 구성원이 들어보고 싶은 연수 일부를 연간 계획에 반영한다. 그 모든 일은 자신에게 좋은 것을 동료에게 소개하는 보람의 여정, 더 좋은 것을 선사하고 싶기 때문에 열심히 경험하는 성장의 여정이다.

이밖에도 인디스쿨 사무국은 '우주에서 하나뿐인 인디스쿨'을 보다 잘 운영하고, 구성원이 지치지 않고 계속해서 재미를 느끼며 활동할 수 있도록 다양한 실험을 해 나가고 있다. 운영진은 학교 일을 마치고 나서야 인디스쿨 운영진이라는 사이드 프로젝트를 개시해야 하고, 막중한 책임이 주어져 있으면서도 이렇다 할 보상 없이 기쁨과 책임감으로 활동하는 것이 숙명이다. 그래서 끊임없이 동기를 부여하는 일이 상당히 중요하지만 조직의 생김새가 워낙 독특하다 보니 맞춤 솔루션을 찾기 어렵다. 인디스쿨 운영진에 맞는 동기부여 방식을 찾아내고 재구성해 헤쳐나갈 수밖에 없다. 운영진 구성원 일부는 2019년부터 '조직경영스터디'라는 이름으로 느슨하지만 핵심적인 스터디 그룹에 참여하고 있다. 이 스터디는 2016년 만들어진 사무국(인디스쿨 상근 직원) 구성원을 중심으로 운영진 리더십이 외부 경영 자문과 함께 조직 문화에 관한 아티클을 읽고 기존의 사고를 틀어보거나 적용해봄직한 요소를 차용하는 방식으로 운영된다. 브라이언 J. 로빈슨의 〈홀라크라시〉를 읽고 운영 회의의 피로도를 낮추고 조직 운영을 효율화하고자 하는 목적으로 회의 종류와 참석자를 세분화하기도 하고, 긍정적인 사회 변화를 위해 가치와 열정을 공유하는 회사와 전문가들의 가상적이고 물리적인 네트워크 '엔스파이럴Enspiral' 사례를 학습하면서 비동시적 의사결정을 강화하는 방식을 도입하기도 했다. 이와 같은 여정은 서울시NPO지원센터의 지원을 받아 제작한 도서 〈그래서 결론이 뭔가요〉에 압축적으로 소개되어 있다.

"인디스쿨 운영진은 직위에 따른 위계가 없고 매우 수평적인 조직이기도 한데요. 서로 연결되어 온라인으로 소통하면서 다른 사람의 통제나 명령을 받지 않고 다양한 지역에 네트워크를 가지고 이야기 나누며 일하고 있습니다. 인디스쿨 운영진은 인디스쿨을 넘어서 다른 비영리 조직의 사례를 같이 공부하고 민주적인 문화와 의사결정에 대한 공부 모임도 함께 운영하면서 운영진으로서의 발전도 해나가고 있고, 이러한 조직 변화 실험에 관한 경험을 담은 작은 책자를 펴내기도 했습니다."
— 아산나눔재단 2020 엔 포럼N_FORUM에서, **소금별**

2021년, 조직경영스터디가 학습한 한 자료에 의하면 사람들이 기꺼이 자원 활동을 하게 하는 촉매는 금전적 보상이나 이력 사항 추가 같은 것이 아니다. 깊은 헌신은 본질적이고 내재적인 보상이 충분할 때 일어나는데, 자기 자신에 도전하면서 계속해서 새로운 일을 성취할 수 있을 때, 자기가 하는 일에 선택권이 충분하게 주어질 때, 여러 동료와 팀을 이루어 서로 도우며 일할 수 있을 때, 의미 있고 긍정적인 인정을 받을 때 자원 활동을 오래 지속할 수 있다고 한다.[36] 이러한 내용을 학습하고 조금씩 적용하면서, 운영진과 사무국은 인디스쿨에 기여하는 모든 구성원이 재미와 의미를 잃지 않으며, 계속해서 동기부여 받을 수 있게 하려면 어떻게 해야 할지 한계 안에서 성실하게 모색해나가고 있다. 광의의 의미로서의 재미, 그 불씨를 꺼뜨리지 않기 위해, 그것이 인디스쿨의 지속가능성을 더하는 일이기에 조직경영스터디 구성원은 오늘도 애쓴다.

조직경영스터디의 실천적 학습은 비단 운영진뿐 아니라 인디스쿨의 수많은 히든 챔피언에게도 가 닿는다. 운영진을 비롯한 황금별, 연수팀·기술연구팀 등 팀 구성원, 연수 강사, 공식 교사모임, 후원 회원, 일반 회원을 초청해 서로에게 감사하고 서로를 격려하는 연례행사 '인디스쿨 리트릿'은 엔스파이럴 사례 학습의 연장선이자 적용점이었다. 리트릿의 겉모습은 과거 숙박 연수나 MT 등의 모습을 취하고 있지만 이는 전국 인디스쿨 구성원에게 일종의 내재적 보상을 주고 재미라는 불씨를 다시금 지피고자 하는, 긍

---

36 <The Essential Guide to Managing Volunteers at your Nonprofit: how get and keep your valued supporters coming back>, 자원활동을 기반으로 한 비영리 단체의 리더십을 교육하는 허브 VolunteerPro에서 제공하는 일종의 지침서.

정적 인정과 감사를 공식적으로 드러내고자 하는 전략적이고 절박한 프로젝트다. 인디스쿨 리더십은 앞으로도 계속해서 구성원이 어떻게 하면 이 선량한 재미를 잃지 않도록 할지 고민하면서, 자기 자신의 재미 또한 보존하기에 힘써야 할 것이다. 인디스쿨이라는 공동체, 초등 교육의 자발적 공유 문화를 지속해나가고자 한다면 말이다.

개자봉

개자봉은 인디스쿨 기술연구팀 팀장이다. 인디스쿨의 모든 부분이 그러하듯, 모니터 속에서 만나는 인디스쿨이라는 웹사이트 또한 초등교사의 손으로 만들어졌다. 낮에는 교실에서 아이들과 눈을 맞추고, 밤에는 모니터와 눈을 맞추는 기술연구팀은 벽돌을 쌓아 올리듯 코드를 쌓으며 인디스쿨 웹사이트라는 집을 만들고 보수하는 사람들이다. 인디스쿨에 관해 물을 때마다, 당연한 듯이 개발 전문 용어로 설명하는 그의 대답을 들으며, 초등교사이자 개발자인 정체성이 선명하게 드러났다. 전국의 초등교사가 사용하는 규모의 사이트를 운영하는 개발자로서, 사이트를 이용하는 초등교사이자 당사자로서 그가 만나고 있는 인디스쿨을 물었다.

인디스쿨에 들어오기 전에 학과 서버를 만들기도 하고, 홈페이지를 만든 경험이 있었어요. 그런데 제가 만들었던 것들이 인디스쿨처럼 큰 규모의 커뮤니티는 아니었으니까, 이곳에 들어오게 되면 재밌는 걸 배울 수 있을 것 같기도 하고, 이렇게 규모가 큰 사이트를 운영한다는 건 어떤 느낌일까 궁금해서 지원을 한 거죠. 당시 웹팀(현 기술연구팀) 팀장이던 선생님께 트위터로 이런저런 경험이 있고, 웹팀에 관심이 있다고 메시지를 보냈어요. 그분도 제 블로그를 찾아보시고 저에 대해서 알아보셨더라고요. 그렇게 인디스쿨에서 함께 일하게 되었어요.

처음 들어왔을 때는 저한테 아무것도 시키지 않으시더라고요. 기술팀의 특징이기도 한데요. 서버 비밀번호를 아직 잘 알지 못하는 사람에게 알려줄 수는 없는 거잖아요. 서버를 가지고 도망갈 수도 있으니까. 그래서 처음에는 조금 저를 견제하는 느낌을 받았어요. 기술팀으로서 밑바닥 일부터 시작했어요. 초반에는 팀으로 일하는 게 무엇인지를 배웠어요.

팀으로 일하면서 갈등을 겪기도 했죠. 그전에는 처음부터 끝까지 제 속도에 맞춰 작업을 해서, 팀으로 함께 일하는 속도나 소통에 익숙하지가 않았어요. 저는 하나 꽂히면 빠르게 치고 나가는 편이라, 당시에 일을 많이 저질러 놓기도 했거든요. 한편으로는 팀이 제 속도만큼 함께 가주지 않는 것 같아서 답답하기도 했었고요. 그러다 혼자 열심히 달리는 게 오히려 팀에는 불안을 야기할 수 있다는 걸 나중에 알게 되었어요. 결론적으로는 좋은 일이기도 했지만, 선임 팀장님들이 힘들기도 하셨을 것 같아요.

제가 처음 인디스쿨에 들어올 당시만 해도 카카오톡, 아이폰이 이제 막 생기는 시기였어요. 당시에는 공통 메신저도 없어서 전화, 문자, 게시판으로만 소통했거든요. 불편함이 많아서, 연락을 자주 주고받지 않았어요. 어떻게 하면 업무 효율을 개선할 수 있을까 고민하다가 다음daum.net에서 나온 '마이피플'을 제안하기도 하고, '텔레그램telegram'도 써보고요. 최근엔 스타트업 기업에서 자주 쓰는 '슬랙slack', '노션notion'을 쓰자고 제안해서 인디스쿨 운영진과 함께 쓰고 있어요.

기술팀은 평소에는 원격으로 함께 일하거나, 채팅으로 대화하면서 일을 하거든요. 모여서 집중적으로 일하고 대화하는 '집중 작업'이 개인적으로는 가장 재밌었어요. 인디스쿨 선생님들이 여름방학, 겨울방학 때 오프라인으로 연수하시는 장소 한쪽에 기술팀 작업공간을 세팅해서 일하는 거죠. 온라인으로 일할 때와는 다르게 깊이 있게 논의할 수도 있고, 해결하지 못했던 개발 문제를 날 잡고 밤을 새우면서 달리기도 하고요. 한번은 가평에 있는 좋은 수영장이 딸린 숙소에 간 적도 있는데, 모니터랑 컴퓨터를 바리바리 싸가지고 갔더니 사람들이 쳐다보더라고요. (웃음) 밤샘 작업을 하다가, 수영도 하고, 고기도 구워 먹었어요. 반은 여행처럼, 반은 일처럼 보냈던 시간이 즐거운 기억으로 남아 있어요.

인디스쿨이 커뮤니티로서 규모감 있게 성장하면서 서버 이슈는 늘 있었어요. 서버 과부하 때문에 매일 아침 모니터링을 하셨던 리누범은 아이들에게 '우리 선생님은 해커다'라는 이야기를 듣기도 하셨대요. 수업 종이 치기

전까지 선생님이 까만 배경에 이상한 영어가 쓰인 화면만 들여다보고 있으니까요. 인디스쿨이라는 서비스를 유지하기 위해 자신을 갈아서까지 노력한 사람들이 있었던 거죠. 제가 팀장이 됐을 때는 어느 정도 서버가 안정화가 된 이후였으니까 우리가 진짜 원하는 걸 해보자고 하면서 '합정 프로젝트'를 시작하게 됐어요.

이전의 인디스쿨 웹사이트가 사용했던 XE라는 플랫폼은 사실상 개발이 중단되어 있는 상태로 유지되고 있었어요. 우리가 원하는, 필요로 하는 기능을 개발하고 싶었는데 기존 플랫폼에서는 제약이 많았죠. 마치 남이 이미 지어놓은 집을 완전히 바꾸기 힘들듯이요. 우리가 상상하는 걸 구현하기 위해서 'Laravel'이라는 시스템을 기반으로 새 집을 짓기로 한 거죠. 더 정확하게 이야기하자면 이전에는 완성품을 썼다면 'Laravel'은 완성품이 아니라 레고 같은 프레임 웍에 가까운 프로그램이라고 보시면 돼요.

이 프로젝트를 '합정 프로젝트'라고 이름 붙인 이유는 MacOS를 보니 본사가 있는 샌프란시스코 주변의 공원이나 동네 이름을 붙이더라고요. 그래서 인디스쿨 공간이 있는 '합정'에서 따와서 붙이게 됐어요. 교사 인증 시스템, 통합 검색 시스템 등 파편화된 시스템을 '바르게 합친다'는 의미를 나중에 붙이기도 했고요.

2015년도에 휴직을 하고 혼자서 개발을 많이 했어요. 신나게 하면서 성취감도 느꼈는데, 문제는 혼자서 개발했기 때문에 문제가 생겼을 때 모든 책임과 수습을 혼자 감당해야 하는 부분이 있던 거예요. 문제 자체가 어렵다기보다, 해결할 사람이 나밖에 없다는 게 힘들었죠. 또 내가 배운 거를 나만 혼자 알고 있기는 아깝다고 생각했어요. 다른 팀원들이 충분히 역량이 있으니까 이걸 같이 배운다면 더 많은 가치를 만들어낼 수 있겠다 싶어서 함께 공부하면서 프로젝트를 하기로 했죠.

팀장을 맡고 나서는 일반 스타트업, IT 기업에서 일하는 방식을 연구하기도 하고, 인맥을 맺고 있는 다른 프로그래머의 글을 눈여겨보기도 해요. 애자일 방법론을 도입해보기도 하고, 이슈를 쪼개서 일을 나누어 해보고, 전문 개발자들이 일하듯이 서로 코드를 리뷰해주기도 하고요. 서버 운영 노하우, 최적화 같은 기술적인 배움은 끊임없이 계속되어야죠. 인디스쿨에서 개발 지식도 배웠지만, 무엇보다 팀으로 일하는 걸 많이 배운 것 같아요.

'합정 프로젝트' 이후에 선생님들께서 감사하다는 말씀을 많이 해주시는데요. 황금별 선생님들이 감사하다는 댓글에 열광하듯이, 응원의 마음이 느껴질 때가 힘이 많이 되죠. 재미가 없었으면 지금까지 못 했을 것 같아요. 우리는 재미로 개발한다지만, 인디스쿨을 사용하는 선생님들에게는 이곳이 의미 있는 일이 일어나는 곳이잖아요. 취미 생활이라는 게 하다 보면 다른 걸 쉽게 찾게 되는데, 이 일은 재밌기도 하지만, 의미도 있는 일이라서 쉽게 그만둘 수 없는 것 같아요.

개발팀이 직접 개발하지 않고 외주를 준 적도 있어요. 기술팀으로서 인디스쿨 사용자나 운영진에서 원하는 기능을 제때 개발해주지 못하니까 일을 잘 못하고 있다는 자책이 들었거든요. 기술팀을 거의 떠나다시피 했을 때, 외주 업체의 일이 돌아가는 상황을 보고 다시 돌아오게 되었어요. 우리의 미흡함이 문제가 아니라, 원래 해결하기 어려운 일이라는 걸 알게 된 거죠. '합정 프로젝트'를 하면서 그때 이루지 못한 꿈을 이룬 것 같아요. 결국엔 필요로 하던 것을 우리가 직접 만든 거니까요.

6장

변
화

교사
한 사람

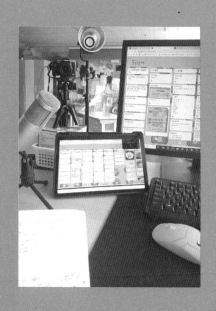

명색이 20주년 기념 책인데 '그동안 인디스쿨이 이룩한 업적' 정도는 짚고 넘어가야 않을까. 만약 인디스쿨이 우리나라 초등교육에 어떤 변화를 가져왔는지 성과 중심의 보고서를 작성해야 한다면 어떤 내용을 쓸 수 있을까. 약간의 과장을 보태면 인디스쿨이 교사 연수 콘텐츠를 변혁하고 혁신 학교 성장에 화력을 지원했다고 말할 수 있을 것 같다. 이 주장의 근거가 될만한 이야기를 많은 교사로부터 들을 수 있을 것이다. 전문적 학습 공동체가 여러 학교에 확산될 수 있었던 것은 인디스쿨 덕분이 아니겠느냐고 차근차근 주장하고 싶기도 하다. 숫자로 입증해야만 존경받는 세계의 문법을 따라 총 회원 수와 하루평균 방문자 수, 총 게시물 수와 교육 자료 데이터 총량을 나열하면서 국내 최대 교사 커뮤니티이자 자료실인 인디스쿨의 양적 성과를 앞세울 수도 있을 것이다.

한편, 인디스쿨이 만든 변화에 관해 회원을 대상으로 설문했을 때 그들이 말한 내용은 결이 조금 달랐다. 회원들은 "인디는 교직 사회의 폐쇄성, 그 벽을 허물었습니다", "우리가 소통하고 나눌 수 있다는 가능성을 현실로 만들었습니다"와 같이 응답했다. 그리고 인디스쿨이 자기 자신에게 일으킨 변화를 증언했다. 회원들은 인디스쿨이라는 무브먼트, 인디스쿨이라는 작용이 이끌어낸 변화를 성과나 규모라는 틀로 인식하지 않았다. 너와 나 사이에 일어난 변화와 나, 너, 우리의 내면에 일어난 변화에 주목했다. 설문 응답을 읽기 전에는 인디스쿨이 만든 변화에 관한 장에서 전과 후의 차이가 분명한 성과를 드러내고 싶었다. 그러다 회원들의 이야기를 하나씩 읽으며 인디스쿨의 트래픽 관련 숫자나 획득한 지위를 앞세우고 싶은 마음, 최근

교육계에서 잘 되어가는 일의 일등공신이 바로 인디스쿨이라고 주장하고 싶은 마음은 힘을 잃었다. 당초 계획한 '연수 콘텐츠 영역 선도', '전문적 학습 공동체 실현', '국내 최대 규모 커뮤니티' 등으로 인디스쿨이 만든 변화를 설명하는 건 어딘지 적절치 않고 충분치 못하다고 느꼈다.

한 사람 안에 일어나는 변화

"인디는 저에게 '즐겁게 공헌하는 법'을 알려주었습니다. 인디 안에서 내가 즐거운 일을 하면서 누군가에게 이 즐거움을 나눌 수 있음에 한 번 더 기뻐지는 경험을 했습니다."

"인디스쿨을 통해 배우는 힘을 기르고 있어요. 인디는 안주하지 않고 배움을 게을리하지 않도록 해줘요. 느슨해지고 싶은 마음을 인디에 로그인하면서 다잡고 있어요."

인디스쿨이 어떤 변화를 만들었다고 생각하는지 물었을 때, 교사들 사이 벽을 허물고 소통을 이끌어냈다는 등 교직 사회 전반에 일으킨 변화에 관한 답변이 많았지만, 이에 못지않게 개인적 차원의 응답도 많았다. 인디스쿨이 만들어낸 변화 중 가장 주목할만한 것으로 '나'라는 개인에게 미친 영향을 꼽은 것이다. 인디스쿨은 사회적 변화를 타겟으로 두고 변혁을 일으키기보다 한 사람 한 사람에게 의미로 다가가 개인을 변화시키고, 이로써 사회를 바꾸는 방식으로 작동한다. 인디스쿨은 교직을 슬며시 떠나려던 사람에게 지속할 힘을 부여하고, 배우는 힘을 기르도록 돕고, 외롭지 않게 하며, 공익적인 일에 기여하는 기쁨을 누리게 했다. 이러한 개인 차원의 변화들이 하잘것없게 느껴질 수도 있다. 사회 전체를 변화시키고 정책적 변화를 이끌어내는 일과 달리 사실을 확인하기도 어렵고, 드라마틱한 사회적 인과관계를 볼 수 없고, 거창한 이념에 기반하지도 않기 때문이다. 교사 한 사람 안에 조금씩 일어나는 변화는 인디스쿨에서 일하는 사람들로 하여금 눈으로 포착되는 성과 지표만큼의 쾌감을 안겨주지도 못한다. 측정할 수 없으니 '변화가 일어나고 있는 게 맞는지' 평소에는 알기도 어렵다. 인디스쿨이 만들어가는 변화는 교사가 학생 안에 조금씩 이끌어내는 변화와 비슷한 점이 많은 것 같다.

운영진 안에서는 인디스쿨 규모의 장점을 살려 정책 제안 등 교육 현안에 큰 목소리를 내야 하는 것이 아니냐는 이야기가 정기적으로 나온다. 어떤 회원은 인디스쿨이 교육부에 교사의 의견을 전달하고, 필요에 따라 성명을 발표하는 등 보다 적극적인 행동을 해야 하지 않느냐고 의견을 내기도 한다. 인디스쿨은 운영진을 중심으로 초등교육계에서 일어난 이슈와 교사의 처우 등에 관해 목소리를 내기도 하고, 노동조합 등과 협력할 때도 있고, 교육감 선거 이후 회원 설문을 받고 분석해 교육감에게 전달하는 〈전국 교육감에게 바란다〉 프로젝트를 수행하는 등 정책적, 사회적 변화를 도모하기도 한다. 그러나 기본적으로 한 목소리를 만드는 데 주력하지는 않는다. 인디스쿨은 리더십이 강력하거나 정치적 노선이 분명하여 조직적으로 움직이면서 사회 이슈에 한목소리를 낼 수 있는 단체가 아니고, 모든 초등교사의 광장이기를 지향하기에 사회적 발언을 확정적으로, 공식적으로 내어놓기란 쉽지 않다. 그 일을 하려고 만든 커뮤니티가 아니기에 그러한 액션을 우선순위에 두지 않는다.

인디스쿨은 더 나은 제도와 정책을 건의하는 일을 잘하는 이들 곁에서, 그들의 친구로서 할 수 있는 일을 한다. 회원들이 게시판에서 이야기를 나누다가 전국초등교사노조가 생겨났고, 이 안에서 국민청원 독려나 어려움을 당한 교사를 돕자는 움직임이 일어난다. 그렇게 많은 사람이 드나들며 자유롭게 의견을 개진하고 커뮤니티 속 커뮤니티를 이룰 수 있는 공간을 운영하면서, 간접적으로 사회적 변화를 지원한다. 그리고 교사 한 사람 한 사람이 즐겁게 드나드는 공간이 되는 일을 지속한다. 한 사람이 다른 사람을 위로하고, 다른 사람이 또 다른 사람을 외롭지 않게 돕고, 더 많은 사람에게 배움과 나눔과 성장의 기쁨을 안길 방법을 모색하면서 교직 사회와 우리 초등교육을 점진적으로 변화시켜 나간다.

> "저는 현장에서 선생님 한 분 한 분이 '인디스러움'을 드러내면서 사시면 좋겠어요. 제가 예전에 연수팀에서 일할 때 자료집에 꼭 넣었던 문구가 있어요. '우리 모두가 인디입니다.' 교실에서, 학교에서, 사람들과의 만남에서 부끄럽지 않게 실천하며 사는 것, 사적 이익을 너무 강조하지 않고, 공익을 추구하면서 사람 사는 세상을 만들어가는 과정 자체가 인디스러운 것이죠. 인디스쿨의 '인디'가 'Independent독립적인'잖아요. 우리 각자가 독립적으로

잘 서 있는 개체이면서 우리 전체가 숲인 것, 그것이 인디스러움인 것 같아요. 삶 속에서 모두들 그렇게 살아가시면 좋겠어요."

— 은퇴 운영진 인터뷰에서, **다람쥐**

인디스쿨 사람들은 오늘도 각 교사가 부끄럽지 않은 모습으로, 배우고 깨달은 바를 실천하면서, 독립적인 개체로 현장에 잘 서기를 바란다. 교직 사회의 한 사람 한 사람이 뿌리 깊은 나무로 잘 서기를 바라고, 전체로서 아름다운 숲이 되기를 꿈꾼다. 인디스쿨 구성원은 오늘도 이 마음으로 활동하고, 이 바람이 각 사람 안에 변화를 일으킨다고 믿는다.

더 이상 외롭지 않다는 것

"인디스쿨은 나와 같은 길을 가는 이들이 있음을 보여주고, 외롭지 않게 해 주었어요. 학교 현장에서 때로 나 혼자 가는 길이 아닌가 싶어 외로울 때가 있지만, 인디에는 앞서 그 길을 가는 선생님도, 함께 가는 동료도 있습니다."

인디스쿨은 교사들이 외롭지 않게 하는 데 많이 기여한 것 같다. 외로움에 관한 이야기는 여러 교사를 인터뷰하는 중에도 회원을 대상으로 한 설문 응답에도 반복적으로 등장했다. 20여 년 전에는 교사들이 외롭고 막막할 때, 어디 물어볼 곳이 없을 때, 내가 잘하고 있는지 모르겠어 의심만 쌓여갈 때, 학생 앞에 설 용기가 없을 때, 교육 현장에 내던져진 것 같을 때 지인 교사를 제외한 선택지가 마땅치 않았지만 지금은 인디스쿨이 있다. 학교에서 힘든 일을 겪어도 교사가 아닌 가족이나 친구에게는 자칫 오해를 살까 봐 마음을 선뜻 털어놓기 힘들 때, 완벽하지는 않아도 언제나 그 자리에서 동료 교사를 환대하는 인디스쿨이 있다. 학교 안에서 점점 더 튀는 사람으로의 이미지만 굳어지는 것 같을 때, 나와 같은 사람이 이렇게나 많다는 것을 오늘도 보여주는 인디스쿨이 있다.

한 회원은 인디스쿨을 "초등교사의 응급실"이라고 표현하기도 했다. 인디스쿨이 있다는 것은 수업 문제든 내 마음의 어려움이든 교사가 응급할 때 찾아갈 곳이 있다는 뜻이다. 첫 공개수업을 준비해야 하는데 어떻게 해야 할지 막막하기만 한 응급 상황에서 수많은 동료교사로부터 도움을 얻을 수 있고, 분노를 조절하지 못하는 등 교사의 마음을 힘들게 하는 학생 때문에 마음이 곪아갈 때 같은 경험이 있는 동료로부터 공감과 위로, 또 앞으로 헤쳐나갈 비결을 전수받기도 한다. 교직 생활 내내 이러한 응급 상황이 전혀 발생하지 않는다 할지라도, 언제든 찾을 수 있는 응급실을 곁에 둔 사람이 갖는 안정감은 20년 전 교사의 그것과는 전혀 다른 감각일 것이다. 교사 생애주기에 따라, 개인의 성향과 가치관에 따라 인디스쿨 자료실을 활발하게 사용하지 않을 수는 있어도 인디스쿨 존재에서 오는 든든함을 하나도 느끼지 못하는 회원은 아마 없지 않을까.

"인디의 존재만으로 고마워요"라는 말은 인디스쿨에서 일하는 사람들이 자주 듣는 말 중 하나다. 인디스쿨 회원 개인에게서 듣기도 하고, 교사

모임, 교원 단체 관계자와의 미팅에서도 종종 듣는다. 존재만으로 고맙다는 말은 상대가 더 이상의 혜택을 가져다주지 않더라도 변하지 않고 사라지지 않는 것만으로 충분한 힘이 될 때 쓰는 말이다. 회원들은 인디스쿨을 '인디'라고 부르며 마치 인디가 사람인 것처럼 애정을 표현하고, 서버가 느려질 때마다 "인디야 힘내!" 응원을 보낸다. 인디스쿨은 각 회원에게 웹사이트나 자료실, 플랫폼보다는 인격으로 자리 잡은 것 같다. 인디스쿨은 교직 사회에서 경험하는 외로움을 더는 느끼지 않을 수 있도록 돕는 친구로서, 인디스러운 정신을 각자 나름대로 정의하면서 실천하며 살도록 견인하는 마음속 지주로서 각 사람 안에 변화를 일으킨다.

인디스쿨이 교육 현장의 막막함과 외로움을 몇 퍼센트 절감했는지, 교사 행복 지수에 얼마나 기여했는지 구체적으로 측정할 수는 없다. 인디스쿨로 인해 교직 사회의 외로움 문제가 완전히 해소된 것도 물론 아니다. 그저 14만 회원이 아직 인디스쿨이 필요하다고 여기는 한 계속해서 서로를 돕고 서로에게 든든한 존재로 머물 것이라는 점과 인디스쿨 구성원이 오늘도 '랜선 동료' 곁의 든든한 존재가 되기 위해 애쓰고 있고, 이 노력은 멈추지 않을 것이라는 점을 근거로 하여 인디스쿨은 지난 20년에 이어 계속해서 변화를 만들어가고 있다고 말하고 싶다.

앞서 말했듯 신규교사가 학교 현장에 처음 발을 내디뎠을 때 겪는 어려움은 오늘날도 여전히 문제다. 모든 일은 처음 시작할 때 힘든 적응의 과정을 거치게 마련이고 시행착오를 겪으며 적응하는 과정을 완전히 제거할 수는 없겠지만, 인디스쿨 신규교사 사용성 TF는 교직에 갓 진입한 교사의 연착륙을 돕고자, 하다못해 외로움이라도 줄이고자 여러 날 회의하고, 설문하고, 요모조모 연구한 끝에 '초등교사 온보딩 콘텐츠 게시판'을 론칭 준비 중이다. 신규교사를 위한 콘텐츠 저자단 1기는 6년 차 이하의 교사 30여 명으로 꾸려졌고, 사무국과 활동가의 에디팅 과정을 거쳐 학교 업무 팁, 인간 관계 맺는 기술, 어린이의 동기를 더 잘 유발하는 법 등 다양한 콘텐츠를 집필했다. 이 프로젝트가 얼만큼의 사회적 변화를 일으킬지는 잘 모르겠지만, 모두가 신규교사 한 사람이라도 교직을 지속할 힘을 얻고 안심할 수 있다면 좋겠다는 마음으로 진행하고 있다. 인디스쿨은 오늘도 그렇게 작은 변화를 도모해나간다.

"온보딩은 On board승차, 탑승에서 유래한 개념으로, 조직에 입사한 사람이 빠르게 조직의 문화를 익히고 적응하도록 돕는 과정입니다. 인디스쿨 초등교사 온보딩 게시판은 학교라는 조직에 처음 합류한 신규 선생님이 안전하고 빠르게 적응할 수 있도록 학교 적응을 먼저 경험한 동료의 경험 지식을 유형별, 시즌별로 정리하여 제공합니다.

'모르는 게 너무 많아서, 이 방대한 양을 다 물어볼 수가 없어요···'
'내가 이런 걸 질문했을 때 나를 생각없이 질문하는 사람으로 생각하지 않을까 걱정도 돼요.'

모르는 것은 소속된 학교에서 해결하는 것이 가장 정확합니다. 그러나 매번 옆 반 선생님에게 물어보기는 힘들 때, 스스로 해결해보고 싶을 때, 인디스쿨 온보딩 게시판은 가장 먼저 정보를 찾아볼 수 있는 곳, 무얼 모르는지 모르는 상태를 벗어날 수 있도록 돕는 곳이 되고자 합니다."

— 초등교사 온보딩 게시판 설명문

인디스쿨이 교사 곁에서 가장 내밀한 친구, 상담실, 응급실로 기능할 수 있었던 동력은 모든 사람이 주인이라는 데 있다. '모두가 주인이 되는 공동체', '참여하는 이들에 의해 만들어지는 커뮤니티'이기에 다수의 사람에게 개별적인 도움이 될 수 있다. 운영진과 사무국을 중심으로 프로젝트를 기획하고, 연수를 운영하고, 서버를 관리하고, 홈페이지를 개선하고 창조해가고, 게시판을 모니터링하고 관리하지만, 그러한 기획과 운영은 사실 판을 까는 일에 불과하고 개인화된 영향력을 미치기는 어렵다. 모든 회원이 서로를 '랜선 동료'로 깊게 인정하면서 내 것을 아낌없이 나누고 보듬는 덕분에 존재만으로 고마운 인디스쿨이 된다.

'존재만으로 고마운 인디스쿨'의 '인디스쿨'은 인디스쿨 중앙을 일컫는 말이 아니라 '인디스쿨 정신으로 활동하는 모든 인디스쿨 회원의 연합'이다. 누군가 인디스쿨에 고맙다고 말할 때, 이 고마움의 대상에는 신규교사 시절에 연수에서 만나 교직의 기틀을 형성해준 **초등참사랑**, 환경적 실천을 교실에서도 해 나가야겠다고 일깨워준 **박사토끼**, 학교폭력 문제로 고생하며 올린 글에 진지한 조언을 댓글로 달아준 **사수기산**, 숙박연수에서 털어놓은 고민에 미간을 찌푸리며 자기 일처럼 공감해준 **류짱**, 랜선 리트릿에서 만나 시원하게 몸짓 활동을 하며 스트레스를 털게 도와준 **깃털쌤** 등 수많은 사람이 포함된다.

앞서 언급한 '초등교사 온보딩 콘텐츠 게시판'을 기획한 팀이 초임교사의 진짜 문제를 파악하고, 어떤 정보를 제공하면 가장 도움이 될지 연구하는 과정에서 댓글로 회원의 의견을 구한 일이 있다. 신규교사를 위해 자신의 경험을 나누어달라고 했을 때, 예상했던 것보다 자세한 내용의 댓글이 기대 이상으로 많이 달렸다. 이러한 현상은 작은 예에 불과할 정도로 인디스쿨 상담실, 자료실, 쫑알쫑알 라운지, 동학년 게시판에서는 오늘도 온갖 경험이 나누어지고, 한 사람을 향한 애정 어린 관심이 기울여지고, 이것이 외롭지 않은 교직 사회를 만들어간다. 모든 회원이 모든 회원을 돌보며 변화를 만들어간다.

평범함의 위대함

"인디가 한 일은 '나눔의 일반화'라고 생각합니다."

"인디는 나누는 것을 당연하게, 행복하게 만들었어요. 내 것을 나누는 게 다른 반으로 하여금 비교의식을 느끼게 하는 게 아니라 함께 더 좋은 방향으로 가도록 하는 거라는 확신을 주었습니다."

"스타 강사, 유명한 교사가 아닌 옆 반 선생님의 능력을 발견하게 해주는 계기를 만들었습니다. '평범함의 위대함'을 알게 해주었습니다."

인디스쿨이 존재하기 이전이라고 해서 나눔 문화가 전혀 없지는 않았을 것이다. 지금과 연수 현장의 모습이 많이 달랐다고는 하지만 직무연수도 있었고, 선후배 간 지식을 나누는 대화도 도처에 존재했을 것이다. 지금만큼 활발하지는 않았겠지만 말이다. 인디스쿨이 생겨난 이후 교직 내 경험 공유에 있어 가장 큰 변화가 있다면 그것은 "나눔의 일반화"이다. 이 표현은 **우샘**의 설문 응답에서 본 표현인데, 읽자마자 무릎을 '탁' 쳤다. 인디스쿨이 "평범함의 위대함"을 알게 했다고 말한 **햇반**의 말과 맥이 같다.

현장에서 경험한 실천적 지식은 어쩐지 보잘것없이 느껴지고, 교사의 특징과 재능을 살린 수업 요소는 그저 잔기술처럼 여김 받던 시절이 있지 않았나. 대단한 지식이 있어야지만 동료 교사에게 배움을 일으킬 수 있다고 여기던 시절에 누구나 나눌 수 있는 토대를 마련해 '나눔의 일반화'를 꾀하고, 평범함이 얼마나 위대한지 오늘도 설득하면서 인디스쿨은 나아가고 있다. 물론 여전히 인디스쿨 내에서조차 대가나 유명한 선생님, 소위 '스타 강사'에게만 스포트라이트가 향하는 현상이 있고, 아직도 가야 할 길이 남아 있지만, 감히 '그래도 이 정도면 많이 오지 않았나?' 싶어진다.

2020년의 인디스쿨이 어떤 해를 보냈는지 교직에 있는 사람들은 잘 알 것이다. 사상 초유의 팬데믹을 경험하면서 오프라인 연수를 전부 취소하고 행사도 거의 열지 못하는 등 인디스쿨 공간 시점에서는 상당히 위축된 해였지만, 인디스쿨 온라인은 그 어느 때보다도 역동적이었다.[37] 코로나 초창기에는 교과서 출판사 저작권 문제도 해결되지 않은 상황에서 가정으로 학습 자료를 보내야 했고, 이로 인해 그동안 별 문제의식 없이 사용했던 각종 폰트, 캐릭터, 콘텐츠 사용에 관해 교사들 모두가 저작권을 염려하고 자료를 수정해야 하는 등의 어려움을 겪었다. 그때 인디스쿨 안에서는 저작권에 관한 지식을 공부한 교사가 다른 이들에게 지식을 나누고, 묻고 또 묻는 말들에 반복해 답글을 달고, 안심하고 수업 자료에 삽입하라며 자신이 직접 그린 캐릭터 파일을 배포하고, 학급용 온라인 자료실에 공유해도 문제가 되지 않는 자료를 가공해 [온라인 공유 가능]이라는 말머리를 달아 공유하는 일이 숱하게 일어났다. 교사모임 '몽당분필'은 팀을 조직적으로 꾸려 자료를 공유하기도 했다. 마치 자신들에게 이 위기 상황의 대응 책임이 있는 것처럼, 인디스쿨 회원 모두가 동학년인 것처럼 말이다.

> "저희는 수업자료 팀, 자료 일러스트 팀, 예능팀, 스케치팀 등 팀을 운영하면서 각 팀의 색깔에 맞게 자료를 제작해왔어요. 온라인 개학을 맞이하면서는 선생님들의 온라인 자료 니즈가 많아지니까 예전보다 더 많이 제작하게 되었어요. 멤버들이 자신의 수업 준비만으로도 바쁠 텐데, 몽당분필 채널에 영상을 올리기 위해 더 많은 시간을 쓰고 있어요. 영상 외의 자료도 꾸준히 올리고 있어요. 지난주에 어린이날 자료가 올라갔고요. 오늘은 어버이날 계기교육 자료가 올라갔어요. 주제별로 1, 2학년 학습꾸러미 제작도

---

37   인디스쿨. (2021). "코로나 첫 학기의 우리들". https://brunch.co.kr/@indischool/61.

했고요. 팀이 아니더라도 '이런 프로젝트가 있는데 한번 해볼래?' 하고 누가 아이디어를 올리면 원하는 사람들이 붙어서 제작하는 방식으로 일하고 있어요." — 2020년 5월 4일 온라인 개학 관련 인터뷰, 몽당분필 **상권쌤**

운영진 중 한 교사는 이를 '재난 속의 협업 공동체'라고 일컬었다. 교실에 우두커니 앉아 학생들을 그리워하고, 도무지 예측할 수 없는 개학 관련 발표를 가만히 기다리면서 힘들고 어려운 시간을 보냈지만, 2020년 봄이 어느 때보다 아름답고 뭉클한 시간으로 남은 것은 수많은 평범한 교사의 나눔 덕분이다. 재난 속의 협업 공동체가 활발할 수 있었던 것은 게시판에 업로드할 수 있는 용량 등 많은 부분을 개선한 클라우드 서버로의 이전을 비롯해 기술연구팀의 성실한 웹사이트 유지·보수·창조 덕분에 가능한 일이기도 했다. 재난 속에 이 모든 뭉클한 장면이 가능하도록 기술적인 뒷받침을 성실하게 했던 인디스쿨 기술연구팀에도 지면을 빌려 박수를 보낸다.

"온라인 수업이 시작되면서 학교의 상황에 따라 온라인 수업 여건이나 경험의 폭이 너무 다를 거예요. 먼저 경험한 분들의 많은 노하우나 온라인 수업에 대한 자료도 그동안 늘 그랬듯이 인디스쿨에서 함께 나누면 좋겠어요. 아직은 시작하지 못했지만 새로운 온라인 수업에 도전하고 싶은 선생님들에게 도움이 될 거라고 생각해요. 우리가 사회적으로 강도 높은 거리를 두면서도, 온라인으로는 열심히 만나서 의견을 나누고 소통하고 연대했으면 좋겠어요. 정말로 연대가 필요한 때잖아요. 힘들지만 할 수 있는 걸 해야죠." — 2020년 4월 6일 온라인 개학 관련 인터뷰, **소금별**

인디스쿨은 만들어지던 당시의 목적인 '닫힌 교실 문을 연다'라는 방향을 향해 오늘도 나아가고 있다. 그 과정에서 소통과 연대의 힘으로 교사 개인을 변화시킴으로써 교육 현장에 변화를 낳고, 외롭지 않은 교직 문화를 만들어 간다. 이 모든 일은 대단한 한 사람의 능력이나 비결을 콕 집어낼 수 있는 리더십으로 이루어지지 않고 평범하고 위대한 14만 교사에 의해, 저마다의 리더십에 의해 오늘도 일어나고 있다. 인디스쿨이 언제나처럼 오늘도 그 자리에 존재한다는 것, 외롭고 막막할 때 갈 곳 없어 홀로 고민하지 않고 달려갈 곳이 있다는 것, 현장에서 실천하는 교사로 살아가자고 다짐하는 사람이 늘어나는 것, 이 가능성을 모두가 함께 현실로 만든 것. 이것이 인디스쿨이 이루어낸 변화이자 이루어갈 변화다.

7장

미
래

공동체라는
오래된
방식

인디스쿨을 둘러싼 사람들에게 앞으로 인디스쿨은 어떤 곳이 되어야 하겠
냐고 물으면 비영리 단체로서 인디스쿨의 발전을 이야기하기보다 교육과
학교의 미래에 관한 이야기를 시작한다. 교사는 내 교실의 아이들이 행복
하길 바라고 아이들이 좋은 어른으로 자랄 수 있도록 돕고 싶어서 교실에서
고군분투한다고. 그렇기 때문에 교사의 노력과 그들이 만들어내는 변화가
인디스쿨에 담겨야 한다고 말이다. 인디스쿨이 나아가야 할 미래는 앞으로
인디스쿨에 참여할 세대의 몫이지만 우리가 마주한 과제가 무엇인지, 어떻
게 해결해야 함께 배우고 성장하는 교사들의 공간이 지속할 수 있을지 고민
하게 된다.

재미와 헌신의 교차점

초등교사는 스물다섯 남짓의 어린이 얼굴에 배움의 표정이 번지는 순간을
가장 많이 만끽할 수 있는 어른이다. 가르치는 일은 교사 혼자서만 일방으
로 하는 일은 아니다. 주제에 대한 깊은 이해와 더불어 학생을 이해하고 배
움의 동기를 유발하고 그들이 이해할 수 있는 언어를 사용해야 한다. 가르
치고 배우는 일은 이렇게 교사와 학생과 주제의 상호작용 속에서 일어난다.
초등교사는 지식과 함께 아직 덜 여문 삶의 기술도 가르쳐야 하기에 세상을
이해했다는 얼굴이 주는 기쁨의 순간보다 인내와 수고의 시간이 더 길게 느
껴지기도 한다. 같은 직업군이 아니면 어린이를 가르치는 일의 전문성을 속
속들이 이해받기 어려워 서러울 때도 잦다.

한편, 인디스쿨에 연재되는 수많은 교사의 회고와 성찰이 담긴 글을 읽다 보면 아마도 초등교사가 이 일을 계속할 수 있는 이유는 수고와 함께 기쁨과 재미를 누릴 수 있기 때문일 것이라는 생각이 든다. 어린이 자신도 발견하지 못한 잠재 능력과 정체성을 함께 탐색하고 성장을 돕는 과정은 수고스럽지만, 타인의 앎의 순간을 자신의 기쁨으로 마음껏 누릴 수 있는 특별한 일이기도 하다.

인디스쿨을 유지하는 일 역시 소수의 운영진이 일방적으로 할 수 있는 일이 아니다. 인디스쿨에 참여하는 각자가 개발 코드를 짜고 서버를 유지·보수하고 연수 프로그램을 기획하고 교육 자료를 만들어 올리고 선한 글과 댓글을 남기는 일에 기꺼이 헌신하기에 가능한 일이다. 이곳에서는 누구의 명령을 받아 움직이는 것이 아니라 이 공간의 문화에 공감하는 사람들 각자가 자신이 처한 자리에서 자신의 능력과 그에 맞는 속도로 기여한다. 인디스쿨은 사람들이 자신의 실천적 교육 지식을 나누고 배움에 목마른 교사들과 만나 연결되었을 때 존재의 의미가 있다.

인디스쿨에서 만난 동료들 덕분에 변할 수 있었다고 말하는 한 사람, 한 사람의 교사로 인해 그 의미는 더욱더 깊어진다. 강가의 모래알 같이 흩어진 초등교사들이 이 공간에서 연결되어 서로가 서로에게 의미가 되어 준다는 사실은, 이 공간을 지키기 위해 헌신한 많은 이에게 특별한 감정을 불러일으킨다. 그 특별한 감정은 기쁨, 재미 혹은 의미라는 말로 치환할 수 있다.

인디스쿨에서 일하는 많은 사람은 타인의 깨달음과 배움의 순간을 마음껏 기뻐할 수 있는 특별한 일에 참여한다. 날마다 실패한 것 같은 감정에서 벗어나기 위해 인디스쿨을 찾은 교사들이 이 공간에서 고민하고 배우고 성장하는 순간들을 기뻐한다. 이 만족과 보람은 인디스쿨을 지속하게 하는 힘이 된다. 인디스쿨을 만들어가는 사람들은 자기 자신을 포함하여 이 공간에 모인 사람들이 각자의 헌신과 재미의 교차점을 더 많이 만들려면 무엇을 해야 할지 늘 고민하고 있다.

불확실한 상황에서도 최선이 모이는 곳

2020년 3월, 코로나바이러스 감염증 확산으로 신입생을 맞이하고 활기로 가득 차야 할 학교는 정상적으로 개학하지 못하고 무기한 등교가 연기되는 사태를 맞이했다. 처음에는 몇 주, 길어야 몇 달이면 끝날 것 같았던 바이러스 사태는 2년 가까이 현재 진행형이다. 전 지구인이 모두 처음 겪어 보는 전대미문의 바이러스 확산으로 학교 현장에는 많은 변화가 있었다.

텅 빈 교실에서 교사들이 수업을 녹화하여 제공하고 온라인 공간에서 출석을 체크하며 등교하지 못한 학생들의 참여를 이끌어야 했다. 서로 마주 앉아 눈 맞추고 집중해서 수업하면 한 시간이면 가르칠 수 있는 내용을 영상으로 만들어 올리면 시간은 몇 배로 걸리는데 결과물마저 볼품없었고, 학생들이 제대로 배웠는지 알 방도가 없는 힘겨운 시간이 흘렀다. 등교 수업이 이루어졌다가도 확진자가 급증하면 갑자기 전교생의 3분의 1 또는 3분의 2만 등교가 가능하다는 지침이 내려와 등교 수업과 온라인 수업 병행 일수를 몇 주 만에 다시 조정하는 등 날마다 변수의 연속이었다.

온라인 수업은 기존의 교실 수업과는 전혀 다른 패러다임이 필요했다. 8세부터 13세의 어린이와 원격에서도 배움이 일어나는 수업을 하려면 어떻게 해야 하는지 고민해야 했고 처음 해보는 불확실한 방법을 적용하고 실패도 경험해야 했다.

그 와중에 새로운 수업을 만들어내는 사람들이 있었다. 온라인으로 아이들과 소통하고 관계 맺는 방법, 비대면 또는 비접촉으로 놀이하는 방법, 화상회의 툴이나 패들렛padlet, 잼보드jamboard 같은 다양한 온라인 도구를 활용한 방법 등 낯선 환경이지만 더 좋은 수업을 하기 위한 방법을 교사들 스스로 공유하기 시작했다. 교육부도 교육청도 양육자도 모두 혼돈에서 헤매고 있을 때 수업의 방향을 잡아가고 새로운 길을 만들어가는 교사들 덕분에 전국의 교실은 먼저 난 그 길을 따라가며 온라인으로 학급을 운영하고 수업하는 방법을 터득해갈 수 있었다.

인간에게 지식이 입력되었다고 곧 배움이 일어나는 것은 아니며 개인의 성장은 그다지 선형적으로 이루어지지 않는다. 사람은 지식과 정보를 수집하는 기계와 달리 좌절과 용기, 두려움과 자신감, 지루함과 즐거움을 거듭하며 성장한다. 이 지난한 배움의 과정은 학생을 끊임없이 관찰하고 관심과 애정으로 이끌고자 하는 사람을 통해 완성된다.[38] 초등교사의 일은 학생들에게 지식을 잘 입력하는 것을 넘어서 25명이 넘는 학생의 성향과 수준을 고려하고 그들이 만들어내는 관계의 화학작용을 예측하여 그 과정에서 학습이 일어날 수 있도록 디자인하는, 어쩌면 예술에 가까운 일인지 모른다. 매일매일 불확실하고 불안한 상황에서도 많은 교사가 어린이들이 좌절할 때 용기를 북돋고, 두려워할 때 격려하며, 지루해할 때 즐겁게 배울 수 있는 다양한 방법을 연구하고 실천했다. 책상 가림판 안에서 친구와의 접촉을 금지당하며 마스크를 쓰고 자기 공간 밖으로 나오기를 꺼리는 2021년의 어린이들을 배움 앞으로 이끌기 위해 오늘도 최선을 찾아내는 사람들의 이야기가 인디스쿨에 있다.

많은 학자는 감염병으로 인한 일상의 변화가 이번 한 번으로 끝나지 않고 주기를 갖고 찾아와 우리의 삶을 바꿔 놓으리라 예측한다. 미래의 학교는 또 어떤 변화와 위기에 처할지 모르지만 앞으로의 세계는 더욱더 불확실할 것이 확실하다. 그런 세상 속에서도 교육이라는 예술에 몸담은 교사들이 즐거운 배움이 가득한 교실을 연구하고 공유하는 공간이 있다면 그곳이 인디스쿨이었으면 좋겠다. 가깝고 먼 미래에도 교사들 서로가 서로에게 영감과 자극을 줄 수 있는 공동체로서 살아있다면 우리나라 초등교육의 최선은 이곳에서 시작될 것이다.

---

38 오재호. (2020). "코로나-19 이후, 교육봄 놀아보다". 월간 공공정책 178. 한국자치학회.

공유로 환대하는 일

해마다 전국 초등교사 신규 임용자의 약 80%가 같은 해 3월부터 인디스쿨 신규회원으로 가입한다고 추정한다.[39] 아무도 시킨 적은 없지만 교대를 졸업하고 초등교사가 된 이들은 인디스쿨에 가입하고, 인디스쿨은 새로이 교직에 들어온 그들을 맞이한다. 인디스쿨이 신규교사에게 어떤 역할을 하고 있을까 돌이켜보면 교사라는 직업의 세계로 들어온 그들을 환대하고 먼저 교사가 된 동료들과 연결하는 역할을 하고 있다고 말할 수 있다. 인디스쿨의 환대는 시간과 경험으로 익힐 수 있었던 '아이들을 가르치는 일'의 암묵지식을 형식 지식으로 전수하는 것이다. 그래서 학교라는 일터에 처음 발을 디딘 신규교사가 그 방대한 궁금증을 해소할 공간을 만들고 선배 교사의 경험과 정보를 연결한다. 경력이 쌓이면 자연히 노하우가 생긴다. 그러나 세상이 너무 빨리 변하기도 하고, 코로나바이러스 사태로 인하여 기존의 경험과 지식의 쓸모가 빠르게 상실되는 시대에 교직에 진입한 신규교사는 경력이 쌓일 때까지 기다릴 시간이 없다. 당장 다음 주부터 25명의 학생과 비대면 수업을 해내야 하는 상황에서 교대에서 배운 지식만 가지고는 살아남기가 어렵다.

새로운 세대의 교사가 선배 교사와 연결되는 것은 초등교육 현장에서 중요한 일이다. 선배 교사가 이제 막 교단에 선 이들이 시행착오를 줄이고

---

39   교육통계 서비스(https://kess.kedi.re.kr)에서 제공하는 2019년 전국 초등 임용 합격자 수와 인디스쿨 0년 차 신규 회원 가입자 수를 비교하였으며 이에는 오차가 존재함.

교실을 안정감 있게 이끌 수 있게 도움을 주는 일은 공공을 위한 일이다. 최근에는 교육청에서 신규교사들에게 일정 기간 멘토 교사를 연결해주는 연수를 진행하기도 한다. '라떼는'을 외치는 일부 사람들로 인해 선배의 경험 전수는 선배의 자기 방식 강요와 동의어로 인식되기도 한다. 그러나 많은 교사들은 라떼들의 태도를 거절할 뿐 노하우와 정보를 공유 받는 것 자체를 거부하지 않는다. 다른 사람의 경험에서 배우는 것은 맨땅에 헤딩하지 않도록 하는 정보와 앞으로 일을 해나가는 기준점을 얻을 수 있기에 여전히 의미가 있다.

인디스쿨 3대 대표 **소금별**은 이렇게 말한다. "온라인 공간은 학교라는 물리적 공간보다 좀 더 자유롭게 자신의 빛나는 지점을 공유할 수 있는 안전한 실험실이 되어주잖아요."

인디스쿨은 이런저런 눈치 때문에 학교라는 공간에서는 쉽사리 공개하지 못하던 자신의 재능과 쓸모를 닉네임이라는 '부캐'[40]로 편안하게 공유할 수 있는 공간이 되었다. 많은 회원은 이 공간이 더욱 특별한 이유를 현장에서 묵묵히 자기 빛깔을 내는 멋진 동료와 연결될 수 있다는 점에서 찾는다. 회원들이 '별것 아니라'고 자신의 지식을 평가절하하지 않고 각자가 가진 작

---

40   부캐는 본래 게임에서 널리 사용되던 용어로, 부캐릭터의 준말이다. 이는 온라인 게임에서 본래 사용하던 계정이나 캐릭터, 즉 본캐릭터(본캐)가 아닌 새롭게 만든 캐릭터를 뜻한다. - 중략 - 그러다 해당 용어가 일상생활로 그 사용이 확대되면서 '평소의 나의 모습이 아닌 새로운 모습이나 캐릭터로 행동할 때'를 가리키는 말로 재정의돼 활용되고 있다. 즉, 개인이 상황에 맞게 다른 사람으로 변신하여 다양한 정체성을 표현한다는 의미로 부캐가 사용된다.
네이버 지식백과. (2020). "부캐". https://terms.naver.com/entry.naver?cid=43667&docId=596292

은 재능을 조금씩 나누려는 용기를 내어준다면 초등교육이 다양하고 풍성해 질 것이라고 말한다. 교사들은 이 공간에서 모두가 지식의 생산자로 자신의 앎과 경험을 주체적으로 발신함으로써 자신들의 동료를 더욱더 환대할 수 있다.

좋은 아이디어와 '해본 경험'을 자신만의 지식으로 독점하지 않고 나누는 행동은 동료의 학급과 수업을 더 낫게 만들고 결과적으로 초등교육 전체의 질을 향상할 수 있다. 그렇게 될 때 신규교사뿐만 아니라 변동적이고 불확실하고 복잡하고 모호한 시대에 적응하는 전국의 교사가 갑자기 닥친 변화의 상황에서 서로가 서로의 스캐폴딩^{scaffolding}[41] 역할을 할 수 있을 것이다. 각자가 좋아하고 잘하는 것을 존중하고 서로 돕는 인디스쿨 문화 안에서 기꺼이 연구하고 나누며 교사 개인을 넘어선 능력을 발휘할 수 있을 것이다.

---

41 아동이나 초보자가 주어진 과제를 잘 수행할 수 있도록 유능한 성인이나 또래가 도움을 제공하는 지원의 기준이나 수준이다. 우드(D. Wood), 브루너(J. Bruner), 로스(G. Ross)가 비고츠키(L. Vygotsky)의 이론을 효과적으로 적용하려고 제시한 개념이다. 원래는 건축공사 시 높은 곳에서 일할 수 있도록 설치하는 임시가설물로, 재료운반이나 작업을 위한 통로 및 발판을 의미한다. 네이버 지식백과. (2016). "비계". https://terms.naver.com/entry.naver?docId=383695&cid=42128&categoryId=42128

필요해서 오는 곳이 아닌, 의미 있는 연결이 일어나는 곳

학교는 콘텐츠만으로는 스스로 배우기 어려운 어린 학생들이 한 공간에 모여 규칙을 배우고 공부하는 환경을 제공해왔다. 그렇지만 어린이들의 배움이 선생님이라는 어른의 가르침을 통해서만 일어나는 것은 아니다. 온라인 학습의 가능성이 더욱 대두되는 세상에서도 학교에 가서 배우는 것이 중요한 이유는 어린이의 배움의 세계에는 어른들의 안내를 통해 학습하는 영역 이외에 또래 또는 교사와 상호작용을 통해 스스로 성장하는 영역이 존재하기 때문이다. 학교는 배우기 위해 꼭 가야 하는 곳이기도 하지만 어린이들이 의미 있는 만남을 통해 성장하는 곳이다.

대부분의 교사가 수업 자료를 찾기 위해 인디스쿨을 방문하지만, 수업 자료를 찾기 위해서만 접속하는 것은 아니다. 회원들은 이 공간에서 모르는 것을 묻고, 고민을 털어놓고, 조언을 구하고, 교육 담론을 논하기도 한다. 서로를 응원하고, 일상의 소소한 일에 함께 감동하며 정서적으로 연결된다. 학교에서 채워지지 않는 갈증을 해소하기 위해 나와 같은 생각을 하는 동료를 찾아 마음을 나누며 결핍을 채운다. 이러한 인디스쿨 문화에 지금도 가슴 뛴다고 말하는 사람들이 있다.

미국 교육자 파커 J 파머에 따르면 좋은 교육은 당분간 학생을 불만족한 상태로 남겨두며, 자신의 편견과 자아의식이 동요된 데 따르는 이 불만과 분노는 진정한 교육이 이루어졌다는 징표이다. 학생이 불만족스러운 진리를 안겨 준 교사에게 고마움을 느낄 때까지는 몇 년이 걸릴 것이다. 시차를 두고 효과를 나타내는 교육이라는 행위의 속성 때문에 자신의 열심이 의미 없게 느껴져 홀로 괴롭고 외롭게 시들어가지 않도록, 좋은 것을 나누며 서로 돕는 따뜻한 공동체 인디스쿨이라는 연결망에 더욱 밀도 있게 연결되기를 권한다. 혼자서는 견뎌낼 수 없는 혹독한 남극의 추위를 견디고자 골고루 열을 나눠 모두의 생명을 지키는 펭귄들의 허들링처럼, 상처받고 흔들리는 교사들이 다시 교단에 설 용기를 매일매일 낼 수 있도록 이 공간에 더욱 더 의미 있게 연결되기를 바란다. 교사들이 인디스쿨이라는 공동체에서 연결될 때 교실의 아이들이 더욱 행복해질 것이라고 믿는다.

전국의 초등교사가 함께 쌓아 올린 하나의 현상인 '초등교사 커뮤니티 인디스쿨'은 참여한 사람 모두에게 그 공로가 있다. 인디스쿨을 아름답게 유지하고 가꾸는 일은 소수만의 일이 아니라 인디스쿨이라는 공동체에 참여하는 모든 이들의 일이다. 보상이 없어도 자신이 가진 지식을 기꺼이 나눠주는 사람들과 그들에게 받은 나눔이 고마워서 다시 나누는 나눔의 선순환이 이루어지는 곳. 찾아오는 사람에 의해 만들어지는 커뮤니티. 그것은 이 땅의 아이들과 선생님이 행복한 만남을 가지는 세상을 꿈꾸는 인디스쿨이라는 세계가 유지되는 힘이자 원리이며 누구나 알지만, 누구나 할 수 없는 일이다.

참고문헌

김도헌. (2008). "교사들의 지식공유 및 전문성 향상을 위한 네트워크 기반 실천공동체의 발달과정: 인디스쿨 사례연구". 교육공학연구 24(2). 진주교육대학교.

김옥영. (2020). 다큐의 기술. 문학과지성사.

데이비드 베일즈 & 테드 올랜드. (2012). Art and Fear : 예술가여, 무엇이 두려운가!(임경아 옮김). 루비박스.

리누스 토발즈 & 데이비드 다이아몬드. (2001). 리눅스 그냥 재미로(안진환 옮김). 한겨레신문사.

박은주. (2018). "교사정체성에 관한 철학적 접근: 존재론적 정체성의 시론적 탐색". 한국교원연구 35(4)

서경혜. (2010). "교사공동체의 실천적 지식". 한국교원교육연구 27(1).

서경혜. (2011). "온라인 교사공동체의 협력적 전문성 개발: 인디스쿨 사례연구". 한국교원연구 28(1).

신현석, 전상훈. (2008). "교원연수제도의 문제와 개선에 대한 역사적 신제도주의적 분석". 교육문제연구 32

아베 히로시, 노부오카 료스케. (2015). 우리는 섬에서 미래를 보았다(정영희 옮김). 남해의봄날.

아클레트 파르주. (2020). 아카이브 취향(김정아 옮김). 문학과지성사.

안그라픽스 편집부. (2015). 안그라픽스 30년. 안그라픽스.

알프레드 스나이더 & 맥스웰 슈누러. (2014). 수업의 완성 교실토론(민병곤 외 2인 옮김), 사회평론.

야마자키 료. (2012). 커뮤니티 디자인(민경욱 옮김). 안그라픽스.

오재호. (2020). "코로나-19 이후, 교육을 돌아보다". 월간 공공정책 178. 한국자치학회.

인디스쿨 조직경영팀. (2020). 그래서 결론이 뭔가요. 인디스쿨.

전선숙. (2020). "초등학교 초임교사가 학교에서 맺는 인간관계에 대한 어려움과 그 해결전략에 관한 사례연구". 한국교육논총.

제러미 하이먼즈 & 헨리 팀스. (2019). 뉴파워: 새로운 권력의 탄생(홍지수 옮김). 비즈니스북스.

제정선. (2004), "초등학교 초임교사의 교직 문화 적응 과정". 진주교대 교육대학원.

파커 J. 파머. (2008). 가르칠 수 있는 용기(이종인 옮김).한문화.

함영기. (2009). "수업 전문성 재개념화의 실천적 탐색을 위한 질적 사례연구 : 온라인 지식교류 활동을 중심으로". 성균관대학교 일반대학원

황지영. (2008). "인터넷게시판상의 언어폭력의 설명요인에 관한 경험연구". 숭실대학교 대학원.

오늘도, 인디스쿨
어쩌다 14만 초등교사 커뮤니티가 되어버린
인디스쿨, 그 20년간의 실험기

편찬기획 인디스쿨 20주년 기념 아카이브 팀(김무광, 김경민, 김소영, 서현선, 안지혜, 이선주)
글 김경민, 김소영
진행·편집 안지혜, 김경민
교정 고현진, 김진하
디자인 정선은
인물 일러스트레이션 권희정
마케팅 고현진, 안지혜
인쇄·제작 네오프린텍
감수 공창수, 김재동, 최선주, 하지수, 황정회
자료 수집 김경민, 이선주
자료 도움·인터뷰·사실 검증 강채은, 공창수, 김광수, 김근재, 김무광, 김상현, 김세용, 김재동, 김현정, 노기전,
류지인, 박광철, 박병건, 박성범, 박준형, 박진현, 박창용, 박태준, 신갑천, 신동석, 안선미, 연진숙, 오경산, 우경희,
이상권, 이슬, 이영근, 이인지, 임대진, 임소연, 전이령, 정유진, 지현우, 최서연, 최웅비, 최혜야, 한희정, 황정회

발행일 2021년 12월 1일
펴낸곳 (주)진저티프로젝트
주소 서울시 마포구 양화로 12길 8-5 2층
이메일 admin@gingertproject.co.kr
홈페이지 www.gingertproject.co.kr
ISBN 979-11-976714-2-5

값 15,000원